BEATRICE ET MIC

Les signes du zodiaque

Sagittaire

EDITIONS DE VECCHI S.A.
52, rue Montmartre
75002 PARIS

Introduction

Que penser de l'astrologie? Scepticisme total ou foi aveugle: l'amateur d'astrologie ne devrait, en aucun cas, adopter l'une ou l'autre de ces deux attitudes.
Des savants se sont ainsi parfois accrochés à leurs erreurs ou à leurs certitudes.
A l'inverse, certains esprits se sont orientés vers des conclusions un peu hâtives.
Entre ces deux extrêmes, une attitude raisonnée ou raisonnable est envisageable.
Monsieur André Barbault, par exemple, a mené une enquête systématique sur les mariages des souverains français, de Charles VIII à Napoléon III. La comparaison des horoscopes de ces époux royaux lui a permis de constater que les couples les moins amoureux ou les moins heureux étaient ceux qui présentaient le moins "d'affinités astrales"; les résultats sont assez éloquents malgré les divergences d'interprétation entre les astrologues, il ne faut toutefois pas oublier qu'en matière d'astrologie, il est tout au plus permis de parler de probabilités, de possibilités et non de lois systématiques et scientifiques.
Cependant, qui d'entre nous n'a jamais constaté d'étranges coïncidences, de troublantes ressemblances entre natifs du même signe, ou de curieuses affinités avec tel ou tel autre signe?
A ce niveau le plus immédiat, il suffit de reconnaître, d'être conscient de l'influence du temps et du climat sur notre caractère ou notre tempérament, et d'être conscient

qu'il n'est pas indifférent de naître, par exemple, dans le froid et la nuit de l'hiver du Capricorne, ou dans la chaleur et la brillance du soleil du Lion, ou encore pendant la période d'épuisement de la Terre, desséchée de la Vierge.

Quoi qu'il en soit, l'astrologie définit et décrit des comportements, des caractères, des attitudes, des aptitudes et des affinités. Elle dresse des portraits-robots, des archétypes d'individus qui correspondent globalement aux natifs d'un même signe. Selon certains philosophes, chacun des 12 signes du zodiaque contient intrinsèquement des éléments positifs et négatifs et que l'homme, par sa raison (ratio), a la liberté de vaincre les principes négatifs.

La divination astrologique apparaît comme un phénomène historique constant dans les civilisations les plus diverses – elle connut des périodes de stagnation et des époques de grandeur –. Très liée à la mythologie, à l'astronomie et aux sciences occultes au départ, elle s'est enrichie progressivement au contact de la psychologie et de la psychanalyse.

Les planètes

L'astrologie fonde ses recherches sur la position des planètes au moment de la naissance: position sur l'écliptique, puis par rapport aux maisons, latitude et déclinaison des planètes, enfin et surtout, distance entre chacune d'elles. Chaque planète possède des propriétés, des significations et des analogies distinctes.
Les règles d'interprétation s'articulent autour des questions suivantes.

- Quels sont le ou les astres qui passent aux angles du ciel, à l'horizon ou au méridien, en particulier à l'Ascendant (AS) et au Milieu du ciel (MC)? Le lever et la culmination de l'astre constituent son maximum de valorisation. Il faut accorder une importance particulière aux astres rapides, Soleil, Lune, Mercure, Vénus, plus précis que les astres lents qui influencent une génération plus qu'un individu.
- Quelles positions les planètes occupent-elles dans les signes?
- Quel est l'ensemble des aspects du thème? De tous les astres avec l'AS et le MC? Des huit planètes par rapport au Soleil et à la Lune (conjonction... opposition, etc.)? Des planètes lentes de Mars à Pluton, à Mercure et à Vénus?

On obtient ainsi un code de lecture avec des tendances dominantes.
Dix planètes sont prises en considération pour l'interprétation. Trois ont été découvertes récemment: Uranus (1781), Neptune (1846) et Pluton (1930). Voici leur ordre

de distance par rapport au Soleil: Mercure, Vénus, Lune, Mars, Jupiter, Saturne, Uranus, Neptune, Pluton.
En outre, chacune de ces planètes a sa propre vitesse de rotation autour du zodiaque.

La Lune parcourt le zodiaque en 27 jours.
Le Soleil parcourt le zodiaque en 12 mois.
Mercure parcourt le zodiaque en 88 jours.
Vénus parcourt le zodiaque en 224 jours.
Mars parcourt le zodiaque en 1 an et 321 jours.
Jupiter parcourt le zodiaque en 11 ans et 313 jours.
Saturne parcourt le zodiaque en 29 ans et 167 jours.
Uranus parcourt le zodiaque en 84 ans et 7 jours.
Neptune parcourt le zodiaque en 164 ans et 280 jours.
Pluton parcourt le zodiaque en 247 ans et 249 jours.

Une planète a son *domicile* dans le ou les signes où elle est bien placée. Dans le cas inverse, on parle d'*exil*.
Exemple: Neptune a son domicile dans le signe du Poissons mais est en exil, mal placé dans la Vierge.
La planète est en *exaltation* quand les affinités sont moins fortes et inversement en *chute* quand la planète est moyennement disposée, sans avoir une réelle opposition avec les significations du signe.
Si la planète n'est dans aucune de ses positions, son influence est neutre.

Soleil

Astre de Feu, d'influence positive, le Soleil a son domicile dans le Lion, est en exil dans le Verseau, en exaltation dans le Bélier et en chute dans la Balance.
- sa couleur est le jaune orangé;
- ses gemmes sont le diamant, la topaze et l'ambre;
- son métal est l'or;
- son jour est le dimanche;

	Soleil ☉	Lune ☾	Mercure ☿	Vénus ♀	Mars ♂	Jupiter ♃	Saturne ♄	Uranus ♅	Neptune ♆	Pluton ♇
Domicile	Lion	Cancer	Gémeaux Vierge	Taureau Balance	Bélier Scorpion	Sagittaire	Capricorne	Verseau	Poissons	Serpentaire
Exaltation	Bélier	Taureau	Vierge	Poissons	Capricorne	Cancer	Balance	Scorpion	Lion	
Exil	Verseau	Capricorne	Sagittaire Poissons	Scorpion Serpentaire Bélier	Balance Taureau	Gémeaux	Cancer	Lion	Vierge	Taureau
Chute	Balance	Scorpion	Poissons	Vierge	Cancer	Capricorne	Bélier	Taureau	Verseau	

– sa plante est le chêne;
– ses animaux sont le cygne, le lion et le bélier;
– il correspond à la XIXe lame du tarot: le Soleil.

C'est l'astre de première importance en astrologie. Il a été le centre du culte de la plupart des peuples et des premières tentatives de monothéisme.

Le dieu Soleil est la divinité suprême qui gouverne toutes les autres et dispense énergie, chaleur et santé. Il représente et symbolise le Père et, par voie de conséquence, l'autorité et la justice, l'organisation, la gloire, la vie et les honneurs.

Astrologiquement, le Soleil est considéré comme un principe mâle, positif et actif, opposé à la Lune, principe féminin et passif (le Yin et le Yang des Chinois). Depuis Ptolémée, la représentation du Soleil est fixée entre 20 et 40 ans.

Les *qualités* incarnées par le Soleil sont la volonté, la combativité, la loyauté, la fidélité, l'amour-propre, la confiance en soi, le sens de la synthèse et le rayonnement personnel.

Les *défauts* sont la force brute et gratuite, l'ambition, la cruauté et l'orgueil.

Sur le plan *amoureux*, le solarien est peu favorisé. Très sentimental, il a toujours un idéal trop élevé qu'il trouve rarement. De ce fait, il conclut la plupart du temps des mariages moyens, souvent avec une lunaire ou une vénusienne qui cependant l'aimera et le soutiendra.

Dans *son métier*, il a le goût du risque et du jeu. Toutes les carrières intellectuelles, artistiques et scientifiques sont accessibles au solarien, ainsi que les professions qui demandent de l'autorité ou se rattachent aux articles de luxe.

Sa *destinée* est généralement favorable suivant, bien sûr, les différents facteurs du thème.

Sur le plan *anatomique*, le Soleil gouverne le cœur, la vue, le dos, les artères, le flanc droit. Il représente la force vitale et indique souvent, s'il est puissant, un tempérament bilieux.

Dans un *horoscope*, on consulte surtout le Soleil pour être renseigné sur la vitalité, l'influence personnelle, les possibilités d'expansion et de réussite du sujet. Bien placé dans le Lion, le Bélier et le Sagittaire, il est faible dans le Verseau et la Balance. Pour les maisons, il est théoriquement bien placé en X, I, VII, IX, XI et V.

Lune

Planète d'Eau, féminine, la Lune a son domicile dans le Cancer, est en exil dans le Capricorne et en exaltation dans le Taureau.
- ses couleurs sont le gris, le bleu ou le blanc;
- ses gemmes sont la nacre, la perle, le cristal, l'opale;
- son métal est l'argent;
- son jour est le lundi;
- ses plantes sont le nénuphar, l'iris d'eau, le pavot et le myosotis;
- ses animaux sont ceux de la nuit en général, comme la chauve-souris ou l'ofraie;
- elle correspond à la IIe lame du tarot: la Papesse.

Personnifiée par Diane dans la mythologie latine, et Artémis dans la mythologie grecque, la Lune est le symbole de la virginité farouche. Déesse chasseresse, Diane possède un arc: le croissant de lune.
La Lune incarne la féminité (la mère, les femmes, l'épouse). Elle représente la personnalité extérieure chez la femme et la féminité inconsciente chez l'homme. D'une façon plus générale, elle est le symbole de l'inconscient (contrairement au Soleil qui est le conscient).
Par son influence sur les marées et sa correspondance avec le cycle de la femme, la Lune est considérée comme la régulatrice et la maîtresse des rythmes, des automatismes et des habitudes, de la grossesse et des accouchements.
Les *qualités* qu'on lui attribue sont l'impressionnabilité,

la réceptivité, l'intensité de la vie intérieure et parfois la tendance à la contemplation.
Ses *défauts* sont la versatilité, l'instabilité, l'inconstance, la timidité, la susceptibilité, le manque d'initiative, la rêverie indolente ou paresseuse, l'imagination maladive.
Sur le plan des *sentiments*, le lunaire est le plus sociable de tous les types planétaires. Le lunaire masculin recherche volontiers la compagnie des femmes avec lesquelles il s'entend bien. Il donne le meilleur de lui-même en collaboration ou dans le mariage, car son partenaire l'aide à dominer ses défauts.
Les *professions* telles que romancier, poète, navigateur, représentant, nourrice, infirmière, etc., conviennent assez bien au lunaire.
Le *destin* du lunaire est plus de subir les événements que de les commander. Il faut donc, dans une interprétation astrologique, être attentif aux influences des planètes énergiques: Mars, Soleil, Jupiter et Saturne.
Sur le plan *anatomique*, la Lune gouverne principalement l'estomac et l'appareil digestif en général, ainsi que la lymphe et le grand sympathique. Si elle prédomine dans un thème, elle indique un tempérament lymphatique.
On consulte la Lune dans un *thème* pour être renseigné sur l'harmonie des fonctions organiques, la vie intime et familiale, le rôle possible du sexe féminin dans la vie, la fécondité de l'imagination, la précision de la mémoire et la force de l'intuition. Par expérience, on sait que la Lune est bien placée dans les six premiers signes du zodiaque et mal placée dans les six derniers, sauf pour le Capricorne.

Mercure

Planète d'Air, convertible, Mercure a son domicile diurne dans le Gémeaux et nocturne dans la Vierge.

Elle est en exil dans les signes Sagittaire et Poissons, en exaltation dans le signe de la Vierge et en chute dans le Poissons.

- ses couleurs sont le gris et le bleu;
- ses gemmes sont l'agate, le jaspe et la cornaline;
- son métal est le mercure;
- son jour est le mercredi;
- ses plantes sont la lavande, la menthe, la verveine, le liseron, l'anis et la marguerite;
- ses animaux sont la pie, l'hirondelle, le papillon et le perroquet;
- elle correspond à la Ière lame du tarot: le Bateleur.

Mercure est un dieu polyvalent, appelé Hermès par les Grecs, il protège les voleurs et les artistes. "Messager des dieux", il est leste, commerçant, habile, possède d'importants défauts et de grandes qualités. Transformateur des énergies, Mercure est l'élément psychique essentiel du progrès moral et de l'évolution spirituelle. Il symbolise l'intelligence, l'adaptation, l'ingéniosité, l'intellect, le commerce, les voyages et les moyens de communication.
Les *qualités* du mercurien sont l'aptitude à trouver des solutions à tous les problèmes, la subtilité, la souplesse, l'intellectualité, l'éloquence et les facilités pour écrire.
Ses *défauts* peuvent être la duplicité, la malhonnêteté et les erreurs de jugement par instabilité mentale.
Sur le plan *sentimental,* il est plus affectueux que passionné, instable et hésitant.
Diplomate dans ses relations avec autrui, il est gai, persuasif, mais son amour de la liberté l'empêche parfois d'obtenir des *professions* à haute responsabilité. Celles correspondant au mercurien sont celles de la presse et de l'imprimerie, de la mesure (géomètre, statisticien) et de la diplomatie.
Il est plus intéressé que dévoué, contourne les obstacles et manque de persévérance, ce qui marque son *destin.*
Sur le plan *anatomique*, Mercure gouverne principalement les poumons et le système nerveux mais influence

également l'intestin et les troubles mentaux. Le mercurien doit surtout se méfier du surmenage nerveux.
Dans un *thème*, on consulte Mercure pour être renseigné sur l'intelligence en général, sur les facultés d'expression et les aptitudes à surmonter adroitement les obstacles. Par expérience, Mercure semble faible dans les six premiers signes du zodiaque et mieux placé dans les six derniers.

Vénus

Planète de Terre, féminine, Vénus a son domicile diurne dans la Balance et nocturne dans le Taureau. Elle est en exil dans le Bélier et le Scorpion, en exaltation dans le Poissons et en chute dans la Vierge.
- ses couleurs sont le vert et le rose;
- ses gemmes sont l'aigue-marine, le saphir clair, le corail rose, le lapis-lazuli et l'émeraude;
- son métal est le cuivre;
- son jour est le vendredi;
- ses plantes sont la rose, le lys, le jasmin, le muguet et le lilas;
- ses animaux sont le rossignol et la tourterelle;
- elle correspond à la IIIe lame du tarot: l'Impératrice.

Vénus, l'Aphrodite grecque, est la déesse de l'Amour et de la Beauté, par conséquent, de l'art et de la volupté. Selon le mythe, elle est née de la mer, fécondée par le membre viril d'Uranus, mutilé par Saturne et tombé sur les eaux. Considérée comme la maîtresse de Mars avec lequel elle trompe Vulcain, Vénus représente, en fait, les qualités féminines exactement opposées aux qualités masculines de Mars.
Vénus est le centre des impulsions amoureuses et de toutes les tendances qui unissent l'être humain vers son semblable. L'instinct sexuel, l'attrait du beau, l'enthousiasme, la ferveur et l'union mystique, la recherche de

l'unité et de la fécondité prennent naissance dans le "centre d'énergie" vénusien qui demeure souvent bien proche de la destruction martienne. Vénus symbolise aussi l'imagination. Elle est reconnue comme étant une planète fortunée, apportant bonheur, chance et beauté, incitant à l'amour, donnant du charme et de la douceur au caractère.
Les *qualités* du vénusien sont la sympathie, la sentimentalité, la sociabilité, la gaieté, le charme et les goûts artistiques.
Ses *défauts* sont la paresse, la sentimentalité excessive et l'immoralité.
Chanceux en *amour* et dans le mariage, le vénusien connaît aussi une réussite *professionnelle* assez précoce et plutôt facile.
Sa réussite sociale ou honorifique est plutôt favorisée surtout si le sujet fait preuve de prévoyance et d'économie et s'il choisit une profession "vénusienne" (c'est-à-dire essentiellement artistique).
Le succès *de sa destinée* dépendant souvent de sa beauté physique, la période la plus favorable pour lui se situe dans les 30 ou 40 premières années de sa vie.
Sur le plan *anatomique*, Vénus gouverne les reins et les organes génitaux internes, influence la circulation veineuse et la gorge. Une forte influence vénusienne correspond à un tempérament sanguin et lymphatique.
Vénus se consulte dans le *thème* pour être renseigné sur l'acuité sensorielle, la sensibilité sentimentale et artistique et pour évaluer les chances et les malchances en amour. Vénus est le principal significateur des aptitudes artistiques (musique, théâtre, peinture...).

Mars

Planète de Feu, dynamique, Mars a son domicile diurne dans le Bélier et nocturne dans le Scorpion. Elle est en exil dans le Taureau et la Balance, en exaltation dans le Capricorne et en chute dans le Cancer.

- sa couleur est le rouge sang;
- ses gemmes sont le rubis, le grenat, la cornaline;
- son métal est le fer;
- son jour est le mardi;
- ses plantes sont le dahlia, la pivoine, le tabac et la rhubarbe;
- ses animaux sont le tigre, le vautour et le coq;
- elle correspond à la XVIe lame du tarot: la Maison-Dieu.

Mars, le dieu grec Arès, préside à la guerre, aux combats et aux exercices militaires. Il trouve en Vénus le repos du guerrier et a laissé de lui, le souvenir d'un dieu cruel, sanguinaire et inexorable.
Mars est, par rapport à Vénus, à l'autre extrémité de l'énergie psychique. A l'un des pôles, le Yin vénusien, féminin, à l'autre le pôle Yang, martien, masculin. Mars symbolise l'action, la réalisation, le courage, la lutte et la destruction.
Ses *qualités* sont la vie active et mouvementée, les initiatives, la franchise, le courage, le goût du commandement et de l'entreprise.
Ses *défauts* sont l'agressivité, la violence, la haine, la sexualité sadomasochiste, la présomption, l'égoïsme, la témérité et la jalousie.
Sentimentalement, le martien recherche surtout les satisfactions sensuelles, rapides, mais, par jalousie, il peut se laisser entraîner dans des drames passionnels. Il est ardent et passionné en amour.
Très travailleur, il manque de logique et s'emballe facilement. Il est l'homme des décisions rapides, des travaux intenses, mais de courte durée. Il doit être secondé *professionnellement* par une personne tenace et réalisatrice. Les principales activités qui lui conviennent sont les carrières militaires, les métiers du fer et des armes, de la médecine ou du sport.

Le martien peut également être un professionnel de la révolution et de l'anarchie.
Son *destin* le pousse à cumuler largesse et désintéressement financiers; l'opinion des autres n'a absolument aucune importance pour lui.
Sur le plan *anatomique*, Mars gouverne la tête, les organes génitaux externes, la vésicule biliaire et les muscles. Il correspond à un tempérament bilieux sanguin.
Dans un *thème astrologique*, on consulte Mars appelée également "la Petite Infortune" pour pouvoir évaluer l'énergie, le courage, les aptitudes réalisatrices et les risques de blessure.

Jupiter

Planète d'Air, positive, Jupiter a son domicile diurne dans le Sagittaire et nocturne dans le Poissons. Elle est en exil dans le Gémeaux et la Vierge, en exaltation dans le Cancer et en chute dans le Capricorne. Elle est en très bonne place dans le Verseau.
- ses couleurs sont le bleu, le violet et le pourpre;
- ses gemmes sont l'améthyste, l'émeraude et le saphir;
- son métal est l'étain;
- son jour est le jeudi;
- ses plantes sont le laurier, l'eucalyptus, l'olivier, le cèdre, la violette et la marjolaine;
- ses animaux sont l'aigle et le paon;
- elle correspond à la Xe lame du tarot: la Roue de fortune.

Dans la mythologie, Jupiter, Dieu italique et romain assimilé au Zeus des Grecs, est le maître de l'Olympe, le premier des douze grands dieux.
Il règne dans les cieux, lance la foudre quand il est en colère contre les hommes. Epoux infidèle de Junon, l'acariâtre, il a détrôné son père Saturne qui gouvernait l'empire des immortels. Il a pour frère Neptune, dieu des mers et Pluton, dieu des enfers.
Jupiter symbolise l'ordre, la loi, le jugement, la chance,

"la Grande Fortune" alors que Vénus représente la "Petite Fortune". Il existe entre Jupiter et Saturne la même relation qu'entre Vénus et Mars. Saturne écrase et étouffe, c'est le triomphe du Père et du "Surmoi". Jupiter représente l'équilibre du Moi et du Surmoi, la victoire sur le Père.
Les *qualités* du jupitérien sont des qualités morales constructives telles que les grands projets, la tolérance, la générosité et l'amour de la vie.
Ses *défauts* sont l'orgueil, l'ostentation, l'hypocrisie, le goût excessif de la sexualité, du jeu et des risques.
Le jupitérien a de la chance et sait en profiter. S'il est en *amour* plus sensuel que sentimental, il fera souvent un mariage de prestige, utile aux honneurs qui doivent lui incomber.
Sur le plan *professionnel*, sa réussite est généralement aisée: les jupitériens sont souvent de hauts dignitaires, hommes politiques, magistrats, hauts fonctionnaires ou cadres supérieurs de l'administration ou de l'entreprise. Autoritaire et muni d'un solide sens de l'organisation, il conduit des opérations de grande envergure.
Sur le plan *anatomique*, Jupiter gouverne le foie et la circulation artérielle, et peut-être les poumons. Une forte influence jupitérienne correspond habituellement à un tempérament sanguin et à un indice de bonne santé.
Dans un *thème*, on consulte généralement Jupiter pour connaître les aptitudes organisatrices, la précision du jugement et la chance en général. Dans tous les horoscopes, il a une grande influence sur les finances.

Saturne

Planète de Terre, négative, Saturne a son domicile diurne dans le Verseau et nocturne dans le Capricorne. Elle est en exil dans le Lion et le Cancer, en exaltation dans la Balance et en chute dans le Bélier.

– ses couleurs sont le noir et toutes les couleurs foncées;
– ses gemmes sont le jais, l'onyx et le corail noir;
– son métal est le plomb;
– son jour est le samedi;
– ses plantes sont le lierre, le houx et le peuplier;
– ses animaux sont le chien, la chouette et le serpent;
– elle correspond à la XVe lame du tarot: le Diable.

Saturne, ou Cronos pour les Grecs, régnait autrefois sur les dieux avant d'être détrôné par son fils Jupiter. Pour les Anciens, l'âge de Saturne était considéré comme l'âge d'or, perdu, dont ils attendaient le retour.

Saturne avait lui-même détrôné, auparavant, son père, Uranus. Avec son épouse Gaïa, il avait peuplé une partie de l'univers. Ses trois fils, Jupiter, Neptune, et Pluton se sont partagés le monde. Dieu de la mélancolie, il dévora ses enfants et était appelé la "Grande Infortune" par les Anciens.

Pôle inverse de Jupiter, il représente le Surmoi. Saturne symbolise le destin, la vieillesse, les extrêmes, la durée, la stabilité, la concentration, la patience et le repli sur soi.

Les *qualités* du saturnien sont la prudence, la persévérance, la froideur, le sérieux, le sens du réalisme, du concret et de la logique précise.

Ses *défauts* sont la solitude, l'égoïsme, le pessimisme, l'intolérance, le refus du changement, l'entêtement et le scepticisme total.

Le Saturnien est capable de *sentiments* profonds et de fidélité, mais, par timidité, il a du mal à s'exprimer et est souvent malheureux en amour.

Sur le plan *professionnel*, on le voit plutôt dans les métiers de l'agriculture, des archives (histoire, archéologie), de la chimie, de la physique et de l'architecture.

Le saturnien a une *destinée* moins chanceuse que celle des autres. Tout au long de sa vie, il sera économe, voire avare, par excès de prévoyance.

Sur le plan *anatomique*, Saturne gouverne le système osseux, les dents, les cartilages, l'oreille droite, la vessie et la rate. De constitution assez délicate, mais résistante,

Saturne correspond généralement à un tempérament nerveux, bilieux.
Dans un *thème*, on consulte Saturne pour connaître la profondeur d'esprit, la patience, les changements importants et les épreuves en général. Cette planète joue également un rôle très important au point de vue de la santé.

Uranus[1]

Planète d'Air, agissant avec discordance, Uranus a son domicile dans le Verseau, est en exil dans le Lion, en exaltation dans le Scorpion et en chute dans le Taureau.
On lui attribue comme métal le platine, et comme couleur le grenat, mais davantage par intuition que par expérience car toute recherche sur cette planète, découverte récemment, est difficile en raison de la longueur de son cycle: 84 ans et 7 jours.
Elle correspond à la XXIIe lame du tarot: le Fou.
Uranus, qui signifie ciel en grec, est le père de Saturne, le plus ancien maître des cieux. Il personnifie la voûte céleste. Détrôné, il s'est vu châtrer et ses parties génitales ensanglantées, tombant sur la mer, firent naître Aphrodite-Vénus.
Uranus représente l'énergie psychique indifférenciée, primitive, incontrôlée, la "libido". Il symbolise la nouveauté, le progrès, l'innovation, l'imprévu, la révolution et l'inconventionnel.
Les *qualités* de l'uranien sont l'originalité, l'intuition, la liberté d'action, le dévouement aux causes sociales et le goût des sciences et de l'occultisme.
Ses *défauts* sont l'excentricité, la brusquerie, la rébellion, la violence face aux obstacles et le déséquilibre.

[1] Il convient d'accorder moins d'importance à Uranus, Neptune et Pluton qu'aux sept autres planètes traditionnelles, car l'expérimentation est encore trop limitée pour ces planètes découvertes récemment.

En *amour*, il est peu sentimental et comme il aime choquer, il est souvent attiré par les personnes de son sexe, mais, instable, il ne supporte aucune chaîne, sentimentale ou professionnelle.
Sur le plan *professionnel*, le type uranien peut être savant, ingénieur, illusionniste ou occultiste.
Son *destin* ne le pousse pas à être intéressé par les biens terrestres et il dépense son argent quand il en a.
Sur le plan *anatomique*, on attribue à Uranus une influence sur le système nerveux et les maladies cérébrales. L'uranien a une bonne résistance physique.
Dans un *thème* astral, on consulte Uranus pour juger des dons intellectuels ou de la capacité d'innovation.

Neptune[1]

Planète d'Eau, négative et féminine, Neptune a son domicile dans le signe du Poissons, est en exil dans la Vierge, en exaltation dans le Lion et en chute dans le Capricorne. On consulte généralement Neptune pour connaître l'inspiration, l'intuition, les tendances mystiques, l'imprévu et les voyages.
Elle correspond à la XIIe lame du tarot: le Pendu.
Neptune, le Poséïdon des Grecs, fils de Saturne et frère de Jupiter, est le dieu des mers et des eaux. Il règne aussi sur les chevaux et leurs cavaliers. Avec son trident, il soulève les flots dans ses colères. La légende veut qu'il ait fendu la roche de l'Acropole à l'endroit où fut construit plus tard l'Erechthéion. Ses innombrables filles peuplent les océans comme les cours d'eau.
Neptune, symbole de la mer, qui, en psychologie, est la matrice de la conscience, gouverne l'inconscient individuel et collectif. Il symbolise l'inspiration, l'intuition, l'utopie, le mystère, le vice et l'hypocrisie.

[1] Cf. Note bas de la page 18.

Les *qualités* du neptunien sont les facultés psychiques, la spiritualité, une forte imagination, souvent utopique, et l'intuition.
Ses *défauts* sont le vice, la peur, la toxicomanie, les inversions, les perversions et la dissimulation.
Moyennement sensuel et *sentimental,* il est volontiers platonique. Imprévisible, il n'est stable qu'en apparence; chez lui, les divorces et les infidélités sont fréquents.
Tout au long de sa vie, sa *destinée* est d'être attiré par la rêverie. Cyclothymique, il passe d'un enthousiasme ardent à un pessimisme noir. Ses finances sont moyennes mais la chance arrive, en général au moment opportun.
Sur le plan *professionnel,* le neptunien doit choisir une occupation originale, intellectuelle, ou nouvelle. Il peut être facilement artiste, poète, peintre, occultiste ou explorateur.
Dans un *thème* astrologique, on consulte généralement Neptune pour connaître l'inspiration, l'intuition, les tendances mystiques, l'imprévu et les voyages.

Pluton[1]

Planète d'Eau, agissant plutôt en discordance, Pluton est encore mal connue car elle n'a été découverte qu'en 1930 par Percy Lowell. On attribue généralement son domicile dans le Scorpion et son exil dans le Taureau.
Pluton, Hadès pour les Grecs, est le fils de Saturne et le frère de Jupiter et de Neptune. Maître des Enfers, il a enlevé Proserpine, fille de Jupiter et de Cérès pour en faire sa femme et la Reine des morts. A l'époque, à Rome ou en Grèce, l'ensemble de ce mythe revêtait un aspect agricole très marqué et une signification saisonnière. Proserpine représente la végétation qui semble disparaître

[1] Cf. Note bas de la page 18.

sous terre, aux Enfers donc, pendant toute une période de l'année.
Mais il ne faut pas perdre de vue l'aspect psychologique de ces mythes agricoles. Pluton gouverne le monde souterrain qui réunit à la fois les Maudits dans le Tartare, et les Justes dans les Champs Elysées. C'est donc le justicier suprême, et non le diable, qui peut punir et récompenser. Il a aussi un rôle fécondant en faisant germer le blé qui meurt en terre pour renaître en moissons. Pluton ne crée pas mais transforme après une période de mort apparente.
Pluton est donc la planète de la transformation et des métamorphoses et son influence sur les masses est notable. Il personnifie la fraction inconsciente de l'individu et apparaît comme le maître des complexes, des régressions et des frustrations refoulées. Il symbolise la destruction purificatrice, les luttes constantes, physiques ou morales, la reconstruction et l'enthousiasme pour les changements profonds et radicaux.
Ses *qualités* sont le goût du nouveau, surtout sur le plan spirituel, l'enthousiasme, la force de volonté qui peut être aussi bien constructive que destructrice, et devient alors *un défaut.*
Le plutonien est un initié qui fait réfléchir et rechercher la vérité. Il veut transformer mais ne connaît pas toujours précisément les motifs qui le poussent à agir. Audacieux et indépendant, il fait preuve d'autorité et inspire la crainte. Les buts ultimes de sa vie sont l'élévation et la célébrité et il est doté d'un haut sens moral.
De nature grave et méditative, il agit toujours avec force, passion et exigence. C'est un solitaire que les critiques n'atteignent pas. Sceptique et jaloux, il aime dominer et être le chef. Il est difficile à vaincre en raison de sa force magnétique mais il aide les autres à prendre conscience de leurs possibilités. Il essaye d'échapper aux contraintes physiques.
Sa sensualité est très forte, de même que sa sensibilité affective et amicale.

Ayant une vie active et étant dans un état d'inquiétude permanente, Pluton provoque toujours de grands bouleversements, souvent inconsciemment, dans tous les domaines de l'existence. Pluton accorde, à ceux qui savent utiliser ses dons, tout ce qu'ils désirent, mentalement et financièrement, mais dans une atmosphère permanente de lutte, de choix extrêmes qui semblent toujours vitaux. Les plutoniens doivent donc choisir le bon chemin et réfléchir aux buts et moyens à adopter.
Dans un *thème* astrologique, Pluton représente la volonté de puissance dans ses aspects violents et ténébreux.

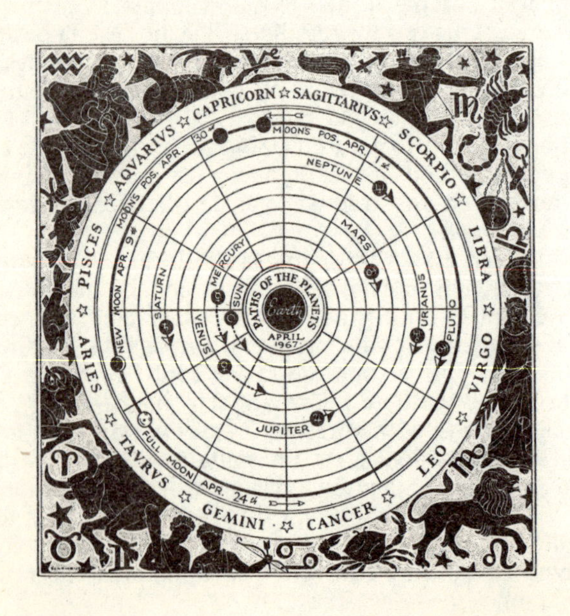

Les maisons

Les maisons sont des divisions actives du ciel, de diverses grandeurs (comme les quartiers d'une orange). Cette répartition de la voûte céleste en 12 maisons (6 au-dessus de l'horizon et 6 en dessous), déterminées en fonction du lieu terrestre de naissance, permet d'interpréter les influences générales des astres et du zodiaque d'une manière précise, et de différencier les gens nés le même jour mais à des heures différentes. En effet, la présence d'une planète dans un signe et les aspects qu'elle forme ont des sens très divers selon que l'on rapporte son symbolisme à des domaines différents de l'existence. Si les planètes animent les signes, les maisons permettent de dire dans quels domaines elles exerceront leurs influences. L'ensemble des caractéristiques de ces maisons symbolise et représente l'existence humaine.

Cette division, inventée par l'astronome arabe Albatan, demeure, bien que perfectionnée par la statistique, encore valable.

Il faut donc connaître, pour déterminer un thème astrologique, la situation des signes du zodiaque dans les maisons, car chaque maison a une signification divinatoire très précise.

Dans une *table des maisons,* on consultera le tableau concernant la latitude du lieu de naissance ou la latitude la plus proche.

En face du *temps sidéral* déterminé précédemment, on verra indiqués les signes occupant les maisons I, II, III, X, XI, XII; les maisons étant opposées deux à deux (I à

VII, II à VIII, III à IX, IV à X, V à XI et VI à XII) il est facile d'établir les autres.
Les 12 maisons ont été attribuées aux signes du zodiaque de la façon suivante:

• Maison I (Lion), V (Bélier), IX (Sagittaire), symbolisent les trois parties de l'affirmation individuelle et appartiennent à l'*élément Feu.*

• Maison II (Taureau), VI (Vierge), X (Capricorne), symbolisent les trois parties de la vie maternelle et concrète et appartiennent à l'*élément Terre.*

• Maison III (Gémeaux), VII (Balance), XI (Verseau), symbolisent les trois parties de l'union et appartiennent à l'*élément Air.*

• Maison IV (Cancer), VIII (Scorpion), XII (Poissons), symbolisent la vie extérieure au "moi" et appartiennent à l'*élément Eau.*

Les planètes

Il faut consulter des éphémérides pour connaître la position des planètes à l'instant de sa naissance. Si cette indication n'est portée que pour tous les 10 jours, il convient d'effectuer une règle de trois pour calculer le "pas de l'astre".

Exemple: si le 10 Novembre 1890, Mars était à 2°55′ du Verseau et le 20 Novembre à 10°15′ du même signe, Mars a avancé de 10°15′ - 2°55′ = 7°20′, soit 7°20′: 10 = 44′.

Pour pouvoir interpréter correctement les positions des planètes entre elles, il faut souligner que certaines positions, et nous dirons même certains aspects, sont particulièrement actifs.
Vous trouverez à la page suivante un tableau des aspects majeurs (parmi les plus importants) calculés en degrés de longitude.

Qualité	*Aspects Majeurs*	*Ecart*	
Dépend de la nature des planètes	Conjonction	0°	+ 10°
Bonne		30°	
Mauvaise		45°	
Bonne	Sextile	60°	+ 3 ou 4°
Mauvaise	□ Carré	90°	+ 8°
Bonne	△Trigone	120°	+ 8°
Mauvaise		135°	
Bonne		150°	
Mauvaise	☍ Opposition	180° Au-delà de 190° cette qualité n'est plus valable.	+ 10°

Description des maisons

Maison I: la vie, le monde du moi. En rapport analogique avec le signe Bélier et la planète Mars: le sujet, son caractère, sa personnalité.

Maison II: le gain, le monde de l'avoir. En rapport analogique avec le signe Taureau et la planète Vénus: les biens, l'argent accumulé, la fortune.

Maison III: l'entourage, les relations, les échanges et les contacts (lettres, téléphone, etc.) avec les proches, la famille et les voisins. En rapport analogique avec le signe Gémeaux et la planète Mercure.

Maison IV: le monde de ses bases, de ses racines, de son hérédité (famille, foyer, pays natal). En rapport analogique avec le signe Cancer et la Lune.

Maison V: le monde créatif et récréatif: les enfants, les amours, les jeux. En rapport analogique avec le signe Lion et le Soleil.

Maison VI: le monde du travail, des contraintes domestiques, et de la santé (l'alimentation et les petits animaux). En rapport analogique avec le signe Vierge et la planète Mercure.

Maison VII: la sociabilité, les unions, les associations, les mariages et les divorces, les collaborateurs ou les ennemis. En rapport analogique avec le signe Balance et la planète Vénus.

Maison VIII: le monde des crises, des transformations, des destructions et de la mort. L'argent en rapport avec les autres (conjoint, associé, héritage), les tendances inconscientes du sujet. En rapport analogique avec le signe Scorpion et la planète Mars.

Maison IX: le monde du lointain: sur le plan intérieur, la recherche spirituelle et abstraite; sur le plan extérieur, les voyages à l'étranger. En rapport analogique avec le signe Sagittaire et la planète Jupiter.

Maison X: le monde du pouvoir, de la carrière, de la chance, de la malchance et du destin en général. En rapport analogique avec le signe Capricorne et la planète Saturne.

Maison XI: le monde des projets, des relations et des amis. En rapport analogique avec le signe Verseau et les planètes Saturne et Uranus.

Maison XII: le monde des épreuves, des difficultés et des ennemis. En rapport analogique avec le signe Poissons et les planètes Jupiter et Neptune.

La règle d'interprétation première de la rencontre entre la planète et la maison est, grosso modo, la suivante: le sujet est lunaire dans le secteur qu'occupe la Lune, solaire dans celui du Soleil. Mais, pour une analyse plus fine, il faut considérer la place de la planète dans le signe et les aspects de celle-ci avec les autres points du thème.

Les signes

La science astrologique connaît 12 signes du zodiaque:

Bélier:	du 21 Mars au 20 Avril
Taureau:	du 21 Avril au 20 Mai
Gémeaux:	du 21 Mai au 21 Juin
Cancer:	du 22 Juin au 22 Juillet
Lion:	du 23 Juillet au 22 Août
Vierge:	du 23 Août au 22 Septembre
Balance:	du 23 Septembre au 22 Octobre
Scorpion:	du 23 Octobre au 21 Novembre
Sagittaire:	du 22 Novembre au 20 Décembre
Capricorne:	du 21 Décembre au 19 Janvier
Verseau:	du 20 Janvier au 18 Février
Poissons:	du 19 Février au 20 Mars

La science astrologique ne se borne pas simplement à fixer la période durant laquelle un signe a son commencement et sa fin, mais poursuit ses distinctions en établissant une différence entre les signes cardinaux, fixes et mobiles.

Sont *cardinaux* les signes suivants: Bélier, Cancer, Balance et Capricorne.

Sont *mobiles* les signes suivants: Gémeaux, Vierge, Sagittaire et Poissons.

Sont *fixes* les signes suivants: Taureau, Lion, Scorpion et Verseau.

Par ailleurs, à chaque élément appartient un groupe de trois signes établis de la manière suivante:

- à l'élément *Feu*, appartiennent: le Bélier (feu naissant), le Lion (feu culminant) et le Sagittaire (feu évolué, savant, achevé);
- à l'élément *Terre*, appartiennent: le Taureau (terre maternelle, nourricière), la Vierge (terre dépouillée qui a porté ses fruits, ses moissons) et le Capricorne (terre en sommeil pour recréer);
- à l'élément *Eau*, appartiennent: le Cancer (eau de naissance, source de vie), le Scorpion (eau stagnante, riche et trouble) et les Poissons (eau des mers infinies);
- à l'élément *Air*, appartiennent: les Gémeaux (air 1er souffle), la Balance (air immobile et serein) et le Verseau (air généreux que tous respirent).

Le *Feu* donne un tempérament sanguin.

La *Terre* donne un tempérament bilieux digestif.

L'*Eau* donne un tempérament nerveux, à dispositions intellectuelles.

L'*Air* donne un tempérament sociable, besoin d'espace et de communication.

La dernière distinction concerne les signes masculins et les signes féminins. Les signes *masculins* sont le Bélier, le Gémeaux, le Lion, la Balance, le Sagittaire et le Verseau, tandis que les signes *féminins* sont le Taureau, le Cancer, la Vierge, le Scorpion, le Capricorne et le Poissons.

LE SAGITTAIRE

Le Sagittaire est le 9e signe du zodiaque. Ce signe est traditionnellement représenté par un centaure tirant à l'arc. Le centaure symbolise la dualité de l'être humain: sa nature animale, sous la forme d'un corps de cheval, son évolution supérieure sous l'aspect d'une tête et d'un torse d'homme. Avec le Sagittaire s'effectue la synthèse de la dualité naturelle directement opposée dans le zodiaque au dédoublement spirituel du Gémeaux. En cartomancie, le Sagittaire correspond à la XIVe lame du Tarot qui représente la tempérance, dont l'interprétation divinatoire est la vie universelle, la circulation de la force vitale à travers les êtres; la régénération, la sérénité d'esprit, l'esprit de conciliation, le sens profond des choses, la réflexion. Dans l'Homme-Zodiaque, où chaque signe correspond à une partie du corps humain, le Sagittaire est dévolu aux cuisses. C'est là que se concentre son énergie.
Le Soleil se trouve dans le Sagittaire du 22 Novembre au 20 Décembre, période qui correspond au troisième mois de l'automne. C'est donc la portion zodiacale comptée sur l'écliptique du 240e au 270e degré de longitude, point où se termine le troisième quadrant et où le Soleil atteint le maximum de sa déclinaison sud. Sous nos climats, à cette époque de l'année, la végétation se meurt; la nature se repose dans l'attente du grand froid hivernal. Outre le Sagittaire, deux autres signes du zodiaque assurent la saison automnale: la Balance (23 Septembre-22 Octobre) et le Scorpion (23 Octobre-21 Novembre). Le

zodiaque étant divisé en quatre quadrants, chacun constitué d'un groupe de trois signes, il est possible d'établir un parallèle entre la succession des phases de la vie humaine et la succession de ces quadrants. Les trois signes du premier quadrant (Bélier, Taureau, Gémeaux) correspondent au chemin parcouru par l'être humain de sa naissance à son adolescence.

La pensée, par l'intermédiaire des sens, découvre progressivement la vie. Les trois signes suivants (Cancer, Lion, Vierge) prennent conscience de leur existence indépendante et explorent le monde. Dans le troisième quadrant (Balance, Scorpion, Sagittaire), l'être humain est au maximum de sa force et de son développement et recherche la communication avec autrui. Dans le dernier quadrant (Capricorne, Verseau, Poissons), l'homme atteint la sagesse et prend conscience du monde. Ainsi, le Sagittaire représente-t-il la force orientée vers un but.

Chacun des 12 signes du zodiaque est régi par l'un des quatre éléments cardinaux qui sont: l'Air, le Feu, la Terre et l'Eau. Ces éléments sont eux-mêmes composés de quatre qualités dites élémentaires, qui sont le chaud, le froid, le sec et l'humide. Celui qui est "chaud" est extraverti; il est dynamique et ouvert sur l'extérieur. Le "froid" correspond à l'introversion; le geste et l'expression sont lents et la réflexion est plus profonde. Le "sec" est le signe de la tension interne, de l'indépendance, de l'obstination, peut-être même de l'égoïsme. L'"humide" est souple et détendu; la personnalité est malléable, mais manque parfois de fermeté.

C'est en se combinant deux par deux que ces quatre qualités donnent les quatre éléments. Le chaud et le sec donnent le Feu, le froid et le sec donnent la Terre, le froid et l'humide donnent l'Eau et le chaud et l'humide donnent l'Air.

Ainsi, le Sagittaire est un signe de Feu. Il n'a ni la légèreté, ni la souplesse de l'Air, ni la dissolution ou la communion de l'Eau, ni la puissance et la stabilité de la Terre, mais l'énergie et la fièvre du Feu. C'est le domaine

de l'action, de l'impulsion, de la décharge réalisatrice et de l'extraversion, mais aussi de la générosité.
Ni fixe, ni cardinal, le Sagittaire est un signe mutable, il est instable, mouvant, susceptible de transformation. C'est un signe d'indécision et d'adaptation.
Le zodiaque connaît par ailleurs une séparation binaire: la division des signes en deux groupes de six planètes chacun, qui détermine les signes positifs ou masculins et les signes négatifs ou féminins: le Bélier est masculin; le Taureau, féminin; le Gémeaux[1], masculin; le Cancer, féminin; le Lion, masculin; la Vierge, féminin; la Balance, masculin; le Scorpion, féminin; le Sagittaire, masculin; le Capricorne, féminin; le Verseau, masculin; le Poissons, féminin. Les expressions "masculin" ou "féminin" n'ont aucune correspondance avec le sexe des sujets nés sous un signe déterminé. Cela signifie, pour les signes dits masculins, que les natifs sont plutôt actifs que passifs et plutôt dynamiques que réceptifs. Le natif d'un signe masculin aura tendance à agir directement, alors qu'un natif d'un signe féminin usera plus volontiers de la ruse que de la force; il préférera l'argumentation à l'action directe. Les femmes se sentent plus à l'aise lorsqu'elles sont nées sous un signe féminin et les hommes s'ils sont d'un signe masculin. Un couple formé d'un natif d'un signe masculin et d'un natif d'un signe féminin aura plus de chance de s'harmoniser qu'un autre couple dont les partenaires seraient tous deux issus de signes masculins ou de signes féminins.
Le guide du Sagittaire est Jupiter, planète de l'expansion, de la chance et de la fortune. Si Jupiter prend chez le Taureau un aspect plus spécifiquement matériel et une nuance de jouissance, car le Taureau est un signe de la

[1] Par définition Gémeaux désignant la constellation zodiacale est un terme masculin pluriel, nous avons cependant respecté l'usage astrologique qui traite "le" Gémeaux en tant que personne unique native du signe, tout en lui conservant le *x* marque du pluriel.
Ce sera la même chose pour "Poissons".

Terre, elle unira, chez le Sagittaire, sa nature aux qualités du Feu, en se dématérialisant partiellement et en se spiritualisant. Sous la houlette de Jupiter, le natif du Sagittaire sera amoureux de l'ordre et de l'équilibre; il aura confiance en lui, fera preuve de logique et de sens pratique; ses qualités seront la tolérance, la générosité et l'amour de la vie; ses défauts: l'orgueil, l'ostentation et l'hypocrisie.
Dans le zodiaque, le Sagittaire est le signe opposé au Gémeaux. Au Gémeaux, le règne de la dualité par différenciation; au Sagittaire, le règne de l'unification, de la fusion et de la synthèse.
La définition du Sagittaire par rapport au zodiaque permet de donner un premier aperçu du tempérament et des grandes lignes de la personnalité des natifs de ce signe. Ce sont des êtres très gais, sociables, optimistes, spontanés, ambitieux, généreux et sûrs d'eux. Ils sont aussi aptes à commander qu'à exécuter, prompts à prendre des décisions et rapides à passer à l'action. Ils se montrent assez conventionnels avec un respect marqué de la hiérarchie et le souci du protocole. Les natifs de ce signe aiment parler, ils sont avides de vérité, communiquent leur enthousiasme et cherchent à faire partager leur idéal. Le Sagittaire est très dynamique, il aime voyager et pratique volontiers le sport.
En amour, le Sagittaire peut se montrer passionné et sentimental. Il a besoin de se sentir en accord avec la personne aimée et de partager ses projets. Malgré sa nature fidèle, honnête et loyale, il est parfois attiré par l'aventure amoureuse hors du couple, dont il ressort avec un douloureux sentiment de culpabilité.

Mythologie

Voici deux légendes se rapportant au fameux centaure: Pirithoos, héros thessalien et ami de Thésée, régnait sur les Lapithes, dresseurs de chevaux, en guerre permanente avec les centaures. Lors de son mariage avec Hippodamie, fille d'Adraste, roi d'Argos, il invita cependant ces derniers à ses noces. Mais comme à leur habitude, ceux-ci s'enivrèrent et se jetèrent sur les femmes présentes. Hercule et Thésée s'emparèrent du centaure Euryte qui enlevait Hippodamie et un combat sanglant s'ensuivit. Certains tentèrent de se réfugier auprès de Chiron ami d'Hercule, mais celui-ci les poursuivit de ses flèches. L'une d'elle trempée dans le sang de l'hydre de Lerne atteignit par mégarde Chiron au genou, Hercule tenta de le soigner, mais n'y parvint pas. Ses souffrances devenant insupportables, Chiron, malgré son immortalité, supplia Jupiter de lui accorder la mort. Sa supplique fut exaucée et le centaure fut enlevé au firmament, où il figure la constellation du Sagittaire.
Hercule, ramenant avec lui Dejanire, sa jeune épouse, se trouva arrêté par un torrent en crue. Nessos, le centaure, accepta de passer Dejanire sur son dos, mais lorsque Hercule fut parvenu sur l'autre rive, il s'aperçut que Nessos fuyait avec Dejanire. Il lui décocha alors une flèche empoisonnée du sang de l'hydre. Pour se venger, Nessos enduisit de son propre sang qui jaillissait de sa blessure, l'intérieur de sa tunique et l'offrit à Dejanire, comme un talisman qui devait lui conserver son époux éternellement fidèle. Crédule, Dejanire l'offrit à Hercule,

qui lorsqu'il l'eut revêtue, éprouva de telles douleurs qu'il se donna la mort par le feu sur le mont Oeta. Jupiter donna au centaure une mort encore plus rapide en le foudroyant, et le plaça dans la voûte céleste où une constellation porte son nom.

Les planètes dans le Sagittaire

Les planètes peuvent agir de façon harmonieuse (*H*), dissonante ou discordante (*D*) dans les signes suivant leur place et les aspects qu'elles forment entre elles.

Soleil dans le Sagittaire

H: grande loyauté, franchise. Esprit d'analyse et de synthèse, respect pour les lois et les traditions.
Recherche d'indépendance, nature optimiste.
D: parfois utopique dans sa façon de raisonner. Protecteur envers ceux qui l'entourent.
Le Soleil dans le Sagittaire confère au natif une générosité accrue et un optimisme communicatif et instinctif. Il entreprendra n'importe quelle action avec grand enthousiasme et la mènera à bon terme avec la même passion qu'il avait en l'entreprenant. Sa personnalité est forte; elle mûrit avec l'intelligence et si elle est correctement dirigée, elle donne au sujet une capacité de travail inimaginable, allègre et géniale. D'un point de vue négatif, l'apathie l'emportera sur les impulsions.

Lune dans le Sagittaire

H: très apprécié par son entourage amical et professionnel. Grand sens de l'amitié. Imagination débordante.

D: recherche des appuis; imagination non réaliste, instabilité dans les sentiments.
La Lune dans le Sagittaire représente l'hypersensibilité et la réceptivité immédiate du sujet aux événements qui surviennent: il en tire des leçons qui, dès l'enfance, lui permettent de comprendre les autres par l'intermédiaire de ses propres expériences. Cette combinaison ne représente pas le type de la vie à deux, reposant sur de solides bases (comme cela est le cas quand la Lune est dans le signe du Taureau), mais une quête permanente et vaine d'un amour imaginaire qui ne se rencontre jamais dans la réalité.

Mercure dans le Sagittaire

H: grand respect des lois. Apprécie les voyages. Souhaite être entouré de ceux qu'il aime. Son esprit de synthèse fait parfois défaut; par manque de temps, il n'arrive pas à se concentrer. Hauteur de vues dans ses opinions. Intelligence reconnue.
D: pas toujours réaliste. N'aime pas la routine. Brusque dans ses façons d'agir.
Mercure dans le Sagittaire représente une forme d'intelligence prompte à bien accueillir les sollicitations externes et à leur donner instinctivement une juste appréciation. C'est une intelligence intuitive, qui entraîne le sujet à suivre l'impulsion du moment, en se refusant à voir le côté rationnel des problèmes.
D'un point de vue négatif, le sujet ne sait pas se montrer diplomate et n'est pas suffisamment amoureux de la vie.

Vénus dans le Sagittaire

H: disponibilité envers les autres, très idéaliste. Exagère parfois ses sentiments et son côté sensuel.

Démarche généreuse mais à la limite de l'attitude intéressée. Certaine autosatisfaction.
D: goût du risque et des aventures, parfois même tempérament casse-coup.
Vénus dans le Sagittaire indique une façon d'aimer dans laquelle la spontanéité joue le premier rôle. La personne aimée est tout d'abord fascinée par le côté symphatique et exubérant de l'individu, puis définitivement conquise par son comportement charmant. Indique l'amour pour l'amour, l'amour sans complications.

Mars dans le Sagittaire

H: goût des voyages, agressivité dans la manière d'agir. Aime ce qui est établi; faculté d'innovation limitée.
D: ne prend pas toujours le temps de s'arrêter. Grande fatigue par moments. Confiance relative dans ses proches.
Mars dans le Sagittaire représente souvent l'agressivité inutile, agressivité qui n'a rien à voir ici avec la volonté de combattre, et qui crée un état d'angoisse qui compromet gravement la santé psychologique du sujet. Il symbolise également la répression des instincts qui, s'il les suivait, le libéreraient des schémas de la vie bourgeoise et conventionnelle dans lesquels il s'enlise. Indique la peur d'être critiqué.

Jupiter dans le Sagittaire

H: tolérance dans sa vie quotidienne mais aussi vis-à-vis de la religion. Fait connaître avec force son idéal et essaie par tous les moyens de l'atteindre.
D: sa tolérance est démesurée, il ne raisonne pas.
Jupiter dans le Sagittaire représente la bonté et la tolérance avec lesquelles le sujet se comporte dans la vie de tous les jours, respectant entièrement la personnalité et les

idées des autres, même si elles sont très différentes des siennes. La réalisation de la personnalité de l'individu est explosive et conforme au caractère exubérant et extraverti du signe. Sa joie de vivre lui attire sans cesse de nouveaux amis grâce auxquels, petit à petit, il arrive à faire de grandes choses, mais il ne réfléchit pas suffisamment à la portée de ses actes.

Saturne dans le Sagittaire

H: apprécie ce qui existe, aime l'ordre, comportement conservateur. Grande aptitude à commander mais aussi à réussir dans les domaines qui le motivent.
D: peu ouvert sur l'extérieur, imprécis dans son comportement.
Saturne dans le Sagittaire symbolise le constant besoin qu'a l'individu de s'entourer d'ordre et de propreté. Il ne tolère pas la poussière et la saleté et, quand il s'agit d'une parfaite maîtresse de maison ou d'un chef d'entreprise parfaitement ordonné, sa méticulosité purement formelle peut à la longue devenir excessive et l'isoler des autres; cette tendance l'amène en effet à s'occuper de vétilles et à négliger l'essentiel. Indique également une tendance à constamment réprimer ses instincts.

Uranus dans le Sagittaire

H: goût prononcé pour l'ésotérisme; n'apprécie pas ce qui est statique. Désir de créativité et grand intérêt pour les sujets moraux, philosophiques ou religieux.
D: prêt à combattre l'ordre établi.
Uranus dans le Sagittaire confère au sujet une personnalité si forte et si aventureuse qu'elle doit s'extérioriser dans des voyages interminables; la soif d'aventures et de connaissances caractérise ce signe.

Uranus influe sur le désir d'apprendre de l'individu, pour la connaissance en tant que telle et non par soif de domination. L'existence est interprétée comme un mode de vie, bref certes, mais intense. Cela peut fatiguer l'entourage immédiat du sujet. D'un point de vue négatif, Uranus dans le Sagittaire indique la peur qu'a l'individu de donner libre cours à ses instincts.

Neptune dans le Sagittaire

H: recherche dans la réflexion pour connaître ce qui dépasse la raison. Le sujet est parfois malheureux car il a l'impression qu'il n'est pas compris.
D: craintes du mauvais sort; quelques fautes dans son comportement général en société.
Neptune dans le Sagittaire indique un besoin de dépasser la réflexion commune. Le sujet est souvent en recherche, mais ceux qui le connaissent n'ont pas des préoccupations philosophiques analogues, d'où un certain isolement. Ses idées généreuses indisposent parfois ceux qui l'écoutent, car si dans le fond il a raison, il ne veut pas admettre que tout ne peut être réglé en un seul jour. Le sentiment d'être incompris l'oblige à prendre sur lui et provoque un comportement un peu brusque de sa part.

Pluton dans le Sagittaire

H: très strict dans ses jugements, parfois cassant. Très respectueux de la loi et des us et coutumes.
D: souci de commander et même de dominer en général.
Pluton dans le Sagittaire donne le désir de commander et de militer pour les grandes causes; le sujet pourrait prendre la tête de mouvements politiques, syndicaux. D'un point de vue négatif, sa personnalité ne met pas toujours à l'aise les individus les plus réservés.

Le Sagittaire dans les maisons

Le Sagittaire en maison I ou Soleil en Sagittaire

Sur le plan mental et spirituel: l'individu possède des aptitudes philosophiques, théologiques et sociologiques. Il a le sens de l'organisation, un jugement rapide et précis, une grande facilité d'élocution et une perception intuitive très appréciable.
Goûts, sentiments et passions: il aime l'indépendance et se montre assez insouciant, optimiste et confiant. Il est d'un naturel bienveillant et libéral et d'une grande sincérité dans ses sentiments.
Sur le plan social: il est agréable et gai et attire facilement la sympathie. Il est sensible et de bon conseil.
Action et réalisation: il aime le mouvement, le grand air, le sport et les voyages. Il est très doué pour l'organisation et la direction, confiant et optimiste dans l'issue de ses entreprises, mais parfois désordonnée.
Destin: sa vie sentimentale est très souvent favorisée par la chance.
Il a peu de liaisons connues par souci du qu'en dira-t-on. Il ne connaît pas de grandes difficultés financières et a tendance à dépenser largement. Il aime être reconnu dans son travail et parvenir à des postes de responsabilité; les succès et les réussites professionnelles sont plus fréquents dans sa vie que les échecs.
Professions possibles: magistrat, haut fonctionnaire, explorateur, missionnaire, peintre, transporteur, importateur, exportateur, agent de voyages.

Le Sagittaire en maison II

Ce signe indique un rôle appréciable de la chance dans les activités financières. Mais le sujet connaît des tendances dépensières qui peuvent retarder la stabilité de sa situation. Professions dans l'industrie, le commerce, l'import-export.

Le Sagittaire en maison III

C'est une situation qui développe les tendances philosophiques et religieuses de l'individu; les voyages sont favorisés et peuvent durer plus longtemps que prévu initialement.

Le Sagittaire en maison IV

L'entente familiale est favorisée bien que des séparations puissent avoir lieu, imposées par des impératifs professionnels. Les voyages peuvent être nombreux et de longue durée.

Le Sagittaire en maison V

Cette position accentue la sensualité ainsi que les goûts esthétiques et artistiques de l'individu.
Le sujet est chanceux aussi bien en matière spéculative que dans sa vie sentimentale et sociale.

Le Sagittaire en maison VI

C'est un indice de bonne santé et de longévité dans la

mesure où le sujet sait éviter les excès générateurs de troubles hépatiques ou circulatoires.

Le Sagittaire en maison VII

Le sujet se marie jeune et l'union est en général positive et solide.
Les bonnes influences de ce signe peuvent également permettre de gagner des procès et de conclure des associations avantageuses.

Le Sagittaire en maison VIII

Favorise les héritages familiaux en ligne directe ou éloignée.

Le Sagittaire en maison IX

C'est une des meilleures positions pour conférer un esprit philosophique, religieux, ainsi que des aptitudes à la sociologie. Le signe indique également une propension aux longs voyages et à l'aventure.

Le Sagittaire en maison X

Peut également être un indice de voyages et de séjours à l'étranger. Facteur de réussite financière et sociale. Convient à toutes les professions relatives à la banque, aux assurances et au système juridique.

Le Sagittaire en maison XI

Accroit les chances de contracter, lors de voyages ou de séjours à l'étranger, des amitiés intéressantes socialement, mais souvent éphémères.

Le Sagittaire en maison XII

Prédispose aux maladies du signe et à celle de Jupiter. En ce qui concerne les inimitiés cachées ainsi que les risques d'emprisonnement ou d'internement, le signe peut jouer un rôle protecteur; il n'y a pas par ailleurs de mauvais aspects importants.

L'ascendant

Dans la personnalité de l'individu, l'influence de l'ascendant est aussi déterminante que celle du signe solaire de base. L'ascendant précise ou corrige le signe de base, il en atténue ou en renforce les tendances essentielles.
Pour affiner la description d'une personnalité, il faut donc analyser la combinaison des deux signes plutôt que chaque signe séparément.
Nous pensons donc, comme la plupart de ceux qui se sont penchés sur la question, que les caractéristiques principales de l'individu sont les mêmes que celui-ci soit, par exemple, Sagittaire ascendant Cancer, ou Cancer ascendant Sagittaire.
Tout au plus peut-on dire que le signe solaire représente l'idéal du Moi, l'élément naturel influencé par la saison, et quasiment prédestiné chez l'individu, alors que le signe ascendant est plus fortuit. Ce dernier représente davantage le Moi conscient, la libre volonté et la personnalité que l'individu peut maîtriser.

Votre ascendant est dans le *Bélier* si vous êtes né:
du 22 au 30 Novembre entre 14 h 30 et 15 h 20
du 1 au 10 Décembre entre 13 h 50 et 14 h 40
du 11 au 20 Décembre entre 13 h 10 et 14 h 05

Votre ascendant est dans le *Taureau* si vous êtes né:
du 22 au 30 Novembre entre 15 h 20 et 16 h 40
du 1 au 10 Décembre entre 14 h 40 et 16 h 10
du 11 au 20 Décembre entre 14 h 05 et 15 h 30

Votre ascendant est dans le *Gémeaux* si vous êtes né:
du 22 au 30 Novembre entre 16 h 40 et 18 h 25
du 1 au 10 Décembre entre 16 h 10 et 17 h 50
du 11 au 20 Décembre entre 15 h 30 et 17 h 10

Votre ascendant est dans le *Cancer* si vous êtes né:
du 22 au 30 Novembre entre 18 h 25 et 21 h 10
du 1 au 10 Décembre entre 17 h 50 et 20 h 30
du 11 au 20 Décembre entre 17 h 10 et 19 h 50

Votre ascendant est dans le *Lion* si vous êtes né:
du 22 au 30 Novembre entre 21 h 10 et 23 h 30
du 1 au 10 Décembre entre 20 h 30 et 23 h 00
du 11 au 20 Décembre entre 19 h 50 et 22 h 20

Votre ascendant est dans la *Vierge* si vous êtes né:
du 22 au 30 Novembre entre 23 h 30 et 2 h 20
du 1 au 10 Décembre entre 23 h 00 et 1 h 40
du 11 au 20 Décembre entre 22 h 20 et 1 h 05

Votre ascendant est dans la *Balance* si vous êtes né:
du 22 au 30 Novembre entre 2 h 20 et 5 h 00
du 1 au 10 Décembre entre 1 h 40 et 4 h 30
du 11 au 20 Décembre entre 1 h 05 et 3 h 50

Votre ascendant est dans le *Scorpion* si vous êtes né:
du 22 au 30 Novembre entre 5 h 00 et 7 h 40
du 1 au 10 Décembre entre 4 h 30 et 7 h 05
du 11 au 20 Décembre entre 3 h 50 et 6 h 25

Votre ascendant est dans le *Sagittaire* si vous êtes né:
du 22 au 30 Novembre entre 7 h 40 et 10 h 10
du 1 au 10 Décembre entre 7 h 05 et 9 h 40
du 11 au 20 Décembre entre 6 h 25 et 8 h 55

Votre ascendant est dans le *Capricorne* si vous êtes né:
du 22 au 30 Novembre entre 10 h 10 et 12 h 00

du 1 au 10 Décembre	entre 9 h 40	et 11 h 25
du 11 au 20 Décembre	entre 8 h 55	et 10 h 40

Votre ascendant est dans le *Verseau* si vous êtes né:

du 22 au 30 Novembre	entre 12 h 00	et 13 h 20
du 1 au 10 Décembre	entre 11 h 25	et 12 h 40
du 11 au 20 Décembre	entre 10 h 40	et 12 h 00

Votre ascendant est dans le *Poissons* si vous êtes né:

du 22 au 31 Novembre	entre 13 h 20	et 14 h 30
du 1 au 10 Décembre	entre 12 h 40	et 13 h 50
du 11 au 20 Décembre	entre 12 h 00	et 13 h 10

Sagittaire/Bélier

Ces deux signes de Feu donnent à l'individu un tempérament exalté et noble, le goût de la conquête et des horizons lointains.
Avide de liberté et tendant vers un idéal, ce natif a une nature spontanée et séduisante; il cherche à communiquer son enthousiasme et sa foi, il sait être convaincant car ses passions et son éloquence sont contagieuses et dynamisantes pour son entourage.
Il est en outre le promoteur des grandes causes, des combats héroïques et des entreprises prestigieuses. Emile Zola, l'auteur du célèbre *J'accuse* est né avec ces deux signes dans son thème.
D'un naturel fougueux, spontané, avide de savoir et de vivre, le natif est ouvert à toutes les expériences possibles. Il se passionne pour les nobles aspirations de l'âme, le sens de la liberté, et une certaine tendance à l'esprit révolutionnaire. Attaché à la notion d'idéal, aux valeurs de la famille, d'un naturel plein d'élans, passionné en amour, le natif de ce signe mixte peut être porté à des excès sur le plan sexuel.
Le Sagittaire apporte au Bélier un tempérament plus fécond et communicatif, une exaltation et une grande

sensibilité de sentiments. Avec une intelligence ouverte et un esprit large, le natif de ce signe mixte est doué non seulement d'un bon esprit d'entreprise mais il fourmille aussi d'idées multiples et originales.

Sagittaire/Taureau

Cette union se révèle bénéfique en tout point car la nature ardente mais raisonnable du Taureau exerce une influence extrêmement positive sur le Sagittaire qui n'a pas toujours une grande notion du devoir. La vie matérielle et spirituelle du natif est très active, peuplée de nombreuses amours, la plupart du temps sincères, associées à un attachement aux valeurs familiales destiné à conférer à ses proches une sécurité plus matérielle que morale.
L'influence heureuse du Sagittaire apporte plus de gaieté au sévère Taureau, mais une gaieté qui dissimule une prudence et un tact hors du commun. Le Taureau subit donc une influence positive, car il est porté vers une spontanéité plus grande, mais aussi vers une réflexion plus profonde. Le natif de ce signe mixte se sent plus fort et son avenir est sûr et assis sur de bonnes bases. Il possède une nature voluptueuse, sensuelle et jouisseuse en même temps qu'elle est morale et attirée par le bien.

Sagittaire/Gémeaux

Avec l'influence de Mercure et de la Lune, le natif de ce signe mixte a une personnalité caractérisée par une dualité interne qui fait que l'individu a l'impression de porter en lui deux personnalités différentes, souvent en contradiction entre elles. Cela engendre chez le natif l'incertitude, une duplicité innée, mais également une grande fantaisie et un sens artistique très développé. Le

désir de l'intrigue, la tendance à la fausseté se trouvent accentués; le natif peut cependant y remédier en combattant pour la loyauté et en cherchant à améliorer ses relations avec autrui. Chez ces natifs, l'agilité corporelle, l'habileté, le charme personnel, l'intelligence et la versatilité sont particulièrement remarquables.
Les rapports affectifs seront difficiles si ce Sagittaire ne cherche pas comme partenaire un natif d'un signe très bien adapté à celui du Gémeaux.

Sagittaire/Cancer

La réunion de ces deux signes met en évidence une sensibilité tournée vers un idéal dont les formes d'expression peuvent être la générosité et la bonté, la noblesse d'âme ou la philanthropie. On peut redouter, chez les natifs de ce signe mixte, de fréquentes dépressions psychiques imputables à leur mauvais état de santé. On remarque parfois, surtout chez les femmes, une hypersensibilité.
Les caractéristiques principales de l'individu de ce signe mixte sont un grand esprit d'aventure, une passion pour les croisières en mer, le désir de connaître des pays lointains, aspirations qui se réalisent à l'âge mûr. Malgré cet esprit d'aventure, le natif reste attaché à ses origines, à sa famille, à sa résidence. Le domaine affectif est riche de nombreuses expériences; la fidélité du natif est réelle, ce qui ne l'empêche nullement d'obtenir de nombreux succès et de faire des conquêtes fréquentes car il a un charme certain.

Sagittaire/Lion

L'union de ces deux signes de Feu détermine une forte chaleur humaine communicative, ainsi qu'une sécurité fondée sur une force intime même si, parfois, cela donne lieu à des exagérations certaines. Le natif de ce signe mixte jouit d'un bien-être résultant, la plupart du temps, d'héritages substanciels. Il est enclin à une vie de plaisirs frivoles, anormale sur le plan social, et vit parfois une existence de véritable parasite. Il faut en conséquence craindre des répercussions sur l'état de santé du sujet. On constate en effet chez les hommes de ce signe, parallèlement à un tarissement précoce de l'énergie vitale, des affections des organes, d'une certaine gravité; c'est surtout le cœur qui est menacé dans ses fonctions essentielles. Le natif de ce signe mixte sera sociable et diplomate, et possédera le don de s'attirer la sympathie d'autrui.

Sagittaire/Vierge

Dans cette combinaison, tout est axé autour de la morale: les exigences morales de la conscience, le souci d'agir honnêtement et en accord avec celle-ci et de réaliser un idéal spirituel teinté de pureté.
Parfois, deux natures se combattent chez cet individu entre un profil bas et un profil haut, entre une nature médiocre et une nature olympienne.
Mais d'une manière générale, son caractère est le plus souvent conditionné par la préoccupation de mettre en pratique une aspiration spirituelle.
La conquête d'une solide position sociale, déterminée par le désir d'agir d'une façon parfaite s'accompagnant d'un rigoureux souci d'autocritique, se révèle difficile.
Le natif peut bénéficier parfois de succès littéraires qui lui assurent les honneurs et la gloire.

Sagittaire/Balance

Cette union permet la rencontre des valeurs morales et

sociales. Le caractère de la personne née sous leur influence est généreux, noble et porté vers le sens de l'idéal. L'aspiration vers le monde, le goût de la communication du signe de la Balance sont élargis par la notion de grandeur et l'élan moral ou spirituel du Sagittaire. Celui-ci donne une faculté d'abstraction à la générosité de la Balance. Il pousse à militer dans des mouvements et des groupes à buts sociaux. Ce qui convient fort bien à la Balance qui est un signe très humain, qui aime la société et ses semblables. Le Sagittaire donne une force et un dynamisme au côté bon vivant, charmant et civilisé de la Balance. L'action devient pesée, raisonnée; elle est souvent empreinte de grandeur et de noblesse. Des personnalités impressionantes sont nées sous cette très heureuse union: ainsi Gandhi, De Gaulle, et Lanza del Vasto.

Sagittaire/Scorpion

Ce signe est dominé principalement par un besoin d'indépendance et de liberté, le désir de bouger, de voyager, de ne pas mener une vie sédentaire; à cela s'ajoutent une grande impulsivité, beaucoup de gaieté, une forte sociabilité. Le natif bénéficie d'une chance remarquable dans ses amours et n'accorde que très peu d'importance à l'argent.
Le besoin d'aller au fond des choses caractérise les personnes nées sous ce signe mixte. Une importance primordiale est accordée dans l'existence de ces individus aux problèmes inhérents aux sources de rapport ainsi qu'à l'argent en général. Les errements de toute sorte ne sont pas à exclure, surtout en ce qui concerne la vie sexuelle des hommes nés sous ce signe. Les points délicats de leur organisme sont les yeux, les oreilles et les dents, avec une fréquence alarmante pour les affections de la gorge et des reins.

Sagittaire/Sagittaire

L'ascendant Sagittaire pour le signe du Sagittaire confirme avec force ce qui est indiqué dans la maison I. Les grands traits caractéristiques donneront en effet un individu ayant un sens de l'organisation très développé, qui se montrera très indépendant, peu conformiste dans ses idées mais d'une générosité exceptionnelle. Ses amis apprécieront sa compagnie.
Il aime bouger, se dépenser. Sa vie sentimentale a de grandes chances d'être marquée par un mariage précoce souvent hors de sa région natale; un milieu d'études pourrait favoriser la rencontre de sa vie.
Si le goût de l'ordre l'attire spontanément, sa passion des grandes causes l'incite à exercer les professions d'explorateur, d'artisan, de missionnaire, d'agent commercial, d'exportateur ou importateur.

Sagittaire/Capricorne

C'est un individu pétri de vastes ambitions sociales ou spirituelles auquel il faut souhaiter une grande passion qui puisse donner un sens unique à sa vie et lui permettre de mettre ses ambitions au service de ses aspirations. Qu'il soit missionnaire ou dirigeant, mieux vaut une ambition qui aboutisse que de multiples passions éparpillées et désordonnées, et qu'un naturel méfiant tourmenté par des soupçons sans fondement. L'individu de ce signe mixte est en effet porté naturellement à dévaluer le sens de l'existence et avoir des idées fixes.

Sagittaire/Verseau

Le natif de ce signe a un grand besoin de liberté, de mouvement. Il fait preuve d'originalité en matière d'idées

universelles, il témoigne d'un amour du prochain remarquable et s'intéresse aux problèmes de la technique et de la science modernes. L'union conjugale de ces natifs débouche sur une collaboration d'ordre professionnel; ne concevant pas la famille comme tout un chacun, ils renoncent à assurer une descendance.
En plus d'une attitude brillante en société, ce natif possède une hauteur de vue exceptionnelle. Il réussit très souvent à conquérir une situation sociale importante qui lui procure le bien-être car, si le sens pratique lui fait généralement défaut, il fait, en revanche, preuve d'une constance et d'une ténacité peu communes dans la poursuite des buts qu'il s'est auparavant fixés. Il a souvent besoin d'un idéal auquel il se donne avec passion.
En règle générale, les activités préférées de ces natifs se situent dans un domaine spirituel. Leurs enfants, peu nombreux, sont la plupart du temps, de sexe féminin.
En ce qui concerne leur état de santé, on peut noter des troubles du métabolisme et de la circulation sanguine, ainsi que des risques de troubles hépatiques.

Sagittaire/Poissons

Cette réunion de signes est caractérisée par un certain contraste entre les énergies physiques dont dispose le natif et ses possibilités effectives.
Chez presque tous les individus persiste l'illusion que la vie leur permettra de réaliser beaucoup plus que ce dont ils sont, en fait, capables. Un contraste existe entre l'énergie physique à leur disposition et leurs possibilités effectives d'évolution spirituelle et sociale, déterminées par des facteurs héréditaires et leur milieu d'origine. Ils ont le don de savoir s'attirer les sympathies d'autrui. Parmi les maladies à craindre, il importe de citer, en premier lieu, les affections des voies respiratoires, l'appendicite et certaines formes de hernie sont assez fréquentes.

Psychologie du Sagittaire

Intellectuellement, le natif se montre méthodique et ordonné; il est par ailleurs doué d'une assez bonne mémoire. Grâce à un jugement vif et précis, il est prompt à prendre des décisions et rapide à passer à l'action.
Il a l'esprit clair et logique et assimile facilement les idées neuves, mais il risque de ne pas approfondir suffisamment certaines choses importantes. En effet, organisateur né, il a parfois tendance à n'envisager que la réalisation finale, au risque de négliger des détails qui pourraient se révéler essentiels.
Professionnellement, c'est un collaborateur recherché pour son intuition, son sens de la synthèse, son esprit d'organisation et pour le sérieux qu'il met en toute chose, mais on lui reproche en revanche son manque d'analyse, sa tendance à prendre des décisions un peu hâtives et son mépris du détail. Il aime commander sans autorité excessive, et le fait toujours avec politesse et courtoisie.
Le sujet est ambitieux et fait grand cas de la situation, qu'elle soit professionnelle, financière ou sociale. Mais, loyal et honnête, il n'aura jamais recours à des méthodes incorrectes pour arriver. Il a le sens des valeurs et le respect des usages, de la hiérarchie et de la légalité; même s'il s'en défend, il est très conventionnel et agit le plus souvent en conformité avec les règles sociales par peur du qu'en-dira-t-on.
Malgré sa générosité et son sens de l'entraide, il est un incorrigible égoïste. Il rapporte tout à lui-même et cherche surtout à se faire valoir. Quand il donne, il aime

bien que cela se sache, quand il dispense des conseils, ce qu'il fait volontiers, il prend l'air protecteur de celui qui sait et qui ne peut pas se tromper. De ce fait, il est très sensible aux critiques et à tout ce qui pourrait altérer la bonne image qu'il souhaite donner de lui-même. Il se vexe alors facilement et peut même se montrer rancunier, mais sans faire vraiment preuve de méchanceté. De toute façon, son naturel gai et optimiste reprend très vite le dessus.

Dans la vie de tous les jours, il est sociable, gai et agréable. Il est souvent serviable. Son enthousiasme est contagieux et communicatif et sa compagnie est recherchée. Dans ses rapports avec autrui, le Sagittaire se montre plutôt conciliant, compréhensif et tolérant. Il est en général franc et direct dans ses expressions comme dans ses actes.

S'il recherche parfois la paix et la tranquillité de son intérieur, le Sagittaire est surtout un signe d'extérieur. Il pratique volontiers les sports de plein air, aime la campagne et les grands espaces et a une prédilection pour les voyages lointains.

Il adore l'argent pour tout ce qu'il peut lui procurer; il n'est pas économe et ne sait par mettre de côté. Il dépense largement, sans mesquinerie et souvent pour des questions de prestige. La propriété et la possession l'intéressent parfois moins pour ce qu'elles lui apportent effectivement que pour la possibilité qu'elles lui donnent d'"avoir l'air".

En amour, le Sagittaire a besoin de se sentir en accord avec la personne aimée et de partager avec elle idées, projets, soif d'aventures et de mouvement.

Il est plus sensuel que sentimental; marqué par le signe du Feu, il est doué d'une nature passionnée et expansive. Mais s'il est effectivement sujet aux passions, celles-ci seront de courte durée.

Sa curiosité et son besoin de liberté font qu'il connaît souvent des amours passagères. S'il est marié, il pourra en être de même, mais son sens des usages l'empêche

alors de s'exhiber avec sa partenaire et lui commande en toute occasion la discrétion.
Il déteste la simulation, le mensonge et l'hypocrisie et est incapable de feindre des sentiments qu'il n'éprouve plus. S'il n'aime plus, il s'en va, mais sa délicatesse et sa gentillesse lui imposent de tout faire pour éviter que l'autre ne souffre.

La santé du Sagittaire

Dans la représentation de l'Homme-Zodiaque, le Sagittaire correspond aux hanches, aux cuisses et aux fémurs. On peut y voir un rapport avec le cavalier qui, de ses cuisses et de ses jambes, gouverne l'animal.
Le Sagittaire est vigoureux et résistant; il a en général une bonne santé. Il est plutôt musclé, athlétique et sportif.
Mais il est particulièrement gourmand, il ne sait pas résister aux petits plats, aux viandes en sauce, aux sucreries et aux alcools. Il n'est cependant pas très gourmet et privilégie la quantité à la qualité. Heureusement, il sera amené de temps en temps à suivre un régime alimentaire, mais bien souvent de trop courte durée. Son foie risque cependant de supporter bien difficilement ces excès; aussi la vigilance s'impose-t-elle dans ce domaine. D'une manière générale, le Sagittaire offre un terrain propice au cholestérol et aux graisses superflues; et ceci est vrai aussi bien pour l'homme que pour la femme.
Aussi, s'il mène une vie trop sédentaire, a-t-il tout intérêt à pratiquer des sports. L'équitation, le tennis, la natation et le cyclisme lui conviennent particulièrement bien; il doit en effet se méfier des sports violents, étant souvent sujet aux fractures, principalement des membres inférieurs.
Le Sagittaire est un hyperactif qui a trop fréquemment tendance à négliger son sommeil. C'est une grave erreur, car il risque à la longue d'aller au-delà de ses possibilités et de souffrir de troubles nerveux.

La profession du Sagittaire

Dans sa vie professionnelle, le Sagittaire a surtout besoin de mouvement, l'immobilisme le démoralise et le désespère. Mais il peut également être attiré par des activités de plein air, souvent en rapport avec les animaux: dressage, élevage... Dans ce même ordre d'idées, on trouve beaucoup de Sagittaires parmi les vétérinaires. Amoureux des grands espaces, de la nature, ils seront souvent séduits par des métiers en rapport avec l'exploitation de terres, de forêts ou de grands domaines agricoles.

Le Sagittaire est également un grand passionné de voyages et il pourra chercher une activité professionnelle lui permettant de nombreux déplacements à l'étranger ou même directement en rapport avec les voyages. Ainsi, il lui serait possible de faire carrière dans une compagnie maritime ou d'aviation, une agence de tourisme ou une entreprise de négoce internationale. Pilote ou navigateur lui conviendrait également.

Quoi qu'il en soit, il lui faut éviter les activités trop sédentaires qui le déprimeraient rapidement et lui feraient perdre le goût du travail et le sens de l'effort. L'uniformité lui pèserait de la même manière; il lui faut un travail varié, polyvalent et si possible itinérant.

De nature très indépendante, il pourrait être tenté de s'installer à son compte, afin d'être son propre patron et son propre comptable, mais son caractère éminemment sociable et son excellent esprit de collaboration font qu'il est tout à fait apte à travailler dans un groupe ou au sein d'une équipe.

Beau parleur et très à l'aise en société, il pourrait également envisager un poste dans un service de relations publiques, pourvu qu'il soit amené à se déplacer suffisamment.
Son esprit de justice et son sens du dévouement pour les intérêts d'autrui pourraient peut-être l'inciter à s'orienter vers une carrière administrative, politique ou juridique.
D'une manière générale, dans sa vie professionnelle, il ne triche pas et sait s'investir à fond. Il sera d'autant plus attiré par son travail que celui-ci présentera un caractère de renouvellement et lui permettra de faire preuve d'initiative, et de prendre des risques.

L'homme Sagittaire

L'homme Sagittaire est en général de grande taille, solide et sportif. Son visage ouvert et franc et ses yeux annoncent son caractère sociable et spirituel. Il a la démarche rapide et souple et l'ensemble de sa personne est plutôt soigné.
Le type sagittérien se caractérise par une solide clairvoyance, un jugement précis et une bonne mémoire. Il a bon caractère, il est jovial, gai et optimiste. Sa courtoisie et sa bienveillance en font un être de bonne compagnie. Il se montre plutôt généreux, mais cette générosité peut être parfois mise en défaut, dans la mesure où il aurait surtout tendance à aider les gens par des bonnes paroles ou des promesses plutôt que par des manifestations concrètes.
En revanche, lui-même est suffisamment orgueilleux et têtu pour se refuser à demander quoi que ce soit à autrui. Il a une grande confiance en lui et en sa chance, et considère qu'il est toujours capable de s'en tirer tout seul. Mais il lui arrive aussi, malgré cette ténacité, de se montrer impatient et d'interrompre une action entreprise, parce qu'il sent ne pas pouvoir la mener à bien.
Il a du goût pour les honneurs et le pouvoir et cherchera à s'élever sur l'échelle sociale, sans jamais pour ce faire user de manœuvres indélicates vis-à-vis des autres; il est bien trop honnête et loyal pour agir de la sorte. De toute façon, il a avec lui suffisamment d'atouts pour réussir par lui-même.
S'il est sensible au respect qu'on lui témoigne et aux

louanges qu'on lui porte, il peut également être soucieux des critiques lancées à son égard, et son amour propre risque d'en souffrir énormément.
Son sens du devoir, des responsabilités et de la fidélité en font un ami recherché et un collaborateur admiré et respecté.

Sa vie conjugale

Ses sentiments sont sincères et son amour est profond et passionné, mais il a besoin de se sentir en parfait accord avec la personne aimée et de partager ses projets.
Courtois et bienveillant, il sait entourer celle-ci de mille attentions délicates et lui dispenser les plus beaux compliments.
Le Sagittaire peut être sujet au coup de foudre et il est rare qu'il ne connaisse qu'un seul grand amour dans sa vie. Il peut se montrer infidèle, mais il ne le fera pas ostensiblement car il déteste faire souffrir. En revanche, il reviendra toujours au foyer, et demandera à se faire pardonner comme lui-même pourrait pardonner.
Il a le sens de la famille, et malgré quelques petites incartades possibles, il sait se montrer bon époux et excellent père. Il a le sens des responsabilités et quoi qu'il puisse arriver, il ne laissera par tomber sa famille. Il lui assurera toujours l'aide matérielle et gardera toujours pour elle tendresse et affection.

Ses hobbies

Doué d'une nature passionnée et expansive, le Sagittaire est attiré par l'aventure et le voyage. Il a besoin de mouvement et de se déplacer souvent; il aime se dépenser, faire du sport et vivre en plein air.
Ses loisirs seront donc beaucoup occupés par les voyages

et les activités sportives. Les expéditions lointaines ne lui font pas peur et le danger le grise un peu. En matière de sport, il pratiquera volontiers le tennis, l'équitation, la natation, la voile, la chasse et la marche.
Il s'intéresse également à tous les artisanats locaux et aime collectionner des objets rapportés de ses nombreux voyages.

Sa profession

Plusieurs éléments doivent être pris en compte. Tout d'abord, le Sagittaire est un homme de mouvement et, de ce fait, il doit éviter les emplois sédentaires et routiniers. Il aime sa liberté et cherchera à la préserver dans son travail, ce qui ne veut pas dire qu'il lui faille absolument trouver une profession dans laquelle il soit son propre patron. Il est sociable et aime le contact humain et peut tout à fait se plier aux exigences d'un travail en équipe. Enfin, il aime les voyages et l'espace; un emploi lui offrant des possibilités de déplacements et de vie en plein air serait pour lui bien sûr le bienvenu.
Il faut ajouter que le Sagittaire est également intègre et respectueux des lois et qu'il peut être attiré par une activité liée à la justice, mais également à la politique, à la philosophie et à la religion.

La femme Sagittaire

La femme Sagittaire est en général mince, élancée, très féminine, mais résistante sous une apparente fragilité. On s'accorde en général à la trouver attirante tant par son aspect physique que par la sympathie que dégage son allure et son visage ouvert et avenant.
Elle est curieuse, vive et exubérante. Elle adore bouger et ne supporte pas l'immobilisme. Elle aime attirer la sympathie et a besoin de rencontrer beaucoup de monde, même si ses véritables amis sont en fait assez rares. Elle est optimiste et a de bonnes raisons pour cela, car elle a souvent une chance insolente. Chaque jour qui naît est pour elle une aventure nouvelle, donc une joie nouvelle. Mais cet optimisme est parfois de façade, car elle peut être au fond d'elle-même inquiète, angoissée et mal à l'aise; cependant, elle s'efforcera toujours de faire bonne figure devant les autres.
Audacieuse, elle est cependant plus réfléchie que son frère du zodiaque et s'engage moins spontanément dans l'action; elle calcule plus ses risques.
Elle souhaite être considérée et s'emploie à gravir les échelons professionnels et sociaux. Mais sans jamais nuire à autrui, car elle est très droite, loyale et respectueuse des règles et des usages. Elle a généralement une bonne opinion d'elle-même et les critiques concernant directement sa personne peuvent blesser profondément son amour propre. Elle n'est pas rancunière, mais elle n'oublie pas pour autant.
Elle est très indépendante et supporte mal les contraintes.

Elle a une grande vitalité, aime la liberté, le mouvement, les voyages et pratique volontiers le sport. L'aventure ne lui fait pas peur et elle va au devant des changements et des nouveautés car elle est curieuse de tout, des choses, comme des gens ou des idées.

Sa vie conjugale

La femme Sagittaire attend d'être reconnue et admirée par son partenaire. Elle souhaite élaborer avec ce dernier des projets en commun, mais surtout avoir des activités communes, qu'elles soient intellectuelles, professionnelles, sportives ou autres.
Bien que très indépendante, elle est très fidèle. Il faut seulement lui laisser une part de liberté. Ainsi, elle aura besoin d'un homme relativement autonome, qui lui accorde cette liberté et qui lui fasse entièrement confiance. Elle sera elle-même tolérante et indulgente, et très respectueuse à l'égard de son compagnon.
Bien qu'elle s'en défende, elle est assez conventionnelle et cherche chez l'autre l'originalité et la fantaisie.
Dans l'amour, elle attend la paix et la stabilité avec un homme qui sait partager ses idéaux élevés et qui recueille son admiration.
C'est une très bonne mère de famille qui possède vis-à-vis de ses enfants une excellente approche éducative. Elle sera toujours à l'écoute et prête à les aider, mais ne se comportera jamais en mère poule ou en mère abusive.

Ses hobbies

Elle aime les voyages, l'aventure et l'activité physique. Elle pratiquera volontiers le ski, le tennis et l'équitation, et d'une manière générale, bon nombre d'activités de plein air.

Elle n'est en général pas bricoleuse car elle manque d'habilité manuelle, mais elle pourra s'adonner avec succès à la peinture.
Elle n'aime pas rester inactive et lorsque son emploi du temps le lui permet, elle se précipite au spectacle.

Sa profession

Elle s'exprime aisément et a du talent pour convaincre, ce qui lui permettrait de trouver un certain épanouissement dans les relations publiques ou les négociations commerciales. Le barreau ne serait pas non plus pour lui déplaire; son sens de la légalité et de la justice pourrait y trouver son compte.
Son goût du mouvement, des voyages et des déplacements pourrait l'orienter vers une carrière d'hôtesse de l'air, vers la diplomatie ou les relations internationales.

Les enfants Sagittaire

Petits déjà, les enfants Sagittaires ressentent le besoin de bouger. Ils détestent rester enfermés dans une pièce ou dans un lieu quelconque, et cherchent par tous les moyens à s'en évader. Leur courage et leur sens de l'aventure se manifestent aussi très vite et ils peuvent se montrer casse-cous. Le garçon Sagittaire gai et sympatique a de nombreux amis, mais sa vitalité et son trop plein d'énergie en font parfois une terreur des cours de récréation. Il est souvent à l'origine des plaies et des bosses qui ornent le visage de ses petits camarades de jeux.
La petite fille Sagittaire sera sans doute moins violente et moins brutale, mais aura tout autant que son frère du zodiaque besoin de grand air et de mouvement.
L'un comme l'autre aiment la nature et les animaux, et il n'est pas rare que les petits Sagittaires aient chez eux des animaux domestiques.
Les enfants Sagittaires ne commenceront souvent à travailler et à s'intéresser à leurs études qu'après leur puberté. Il leur faudra alors mettre les bouchées doubles, mais ils en ont les capacités et les moyens.

L'amour et le Sagittaire

Le Sagittaire est direct et sincère, il attend un dialogue franc de la part de son partenaire.
Il a besoin de faire des projets avec la personne aimée et de se sentir en parfait accord avec elle. Pour cela, il cherchera toujours à communiquer avec elle pour mieux la comprendre.
Mais il est aussi avide de démonstrations de sentiments, de preuves d'affection et d'attentions amoureuses.
Le Sagittaire peut être sujet au coup de foudre; bien qu'il ait une haute idée du couple, il peut ne pas se montrer d'une fidélité exemplaire.
D'un naturel peu jaloux, il sait accorder à son partenaire un minimum de liberté, mais n'aime pas être trompé et ridiculisé.

Femme Sagittaire / Homme Bélier

La femme Sagittaire exubérante, gaie et curieuse de la vie, trouvera dans le Bélier l'homme fort, courageux, direct et dynamique avec qui elle pourra mener la vie active et aventureuse à laquelle elle aspire: voyages, sport, compétition. Même si elle cherche à faire valoir sa personnalité, elle ne s'opposera jamais vraiment à la domination du Bélier. Et celui-ci lui en saura gré. Cependant, toujours à la recherche de nouvelles sensations, de nouvelles aventures, elle risque de succomber au charme d'une nouvelle rencontre. Mais comme elle est d'une

grande honnêteté vis-à-vis des autres, elle ne pourra supporter une situation fausse et préférera rompre avec l'homme qu'elle a aimé plutôt que lui être infidèle. Voilà un couple chez lequel il n'y aura pas de discussions d'argent, car même si le Bélier est le plus prodigue des deux, l'un comme l'autre sont tout à fait désintéressés.
La nature tendre, sentimentale et romanesque du Bélier pourra aider à guérir le cynisme instinctif de la femme Sagittaire. Elle devra veiller, quant à elle à ce que sa grande franchise naturelle ne soit pas perçue comme de la méchanceté ou de la malveillance par le Bélier si vulnérable, et si prompt à se faire du mal dès qu'il croit qu'on ne l'aime plus.
Si chacun des deux parvient à vaincre son égoïsme et à manifester à l'autre toute sa tendresse et toute sa générosité, cette union sera une grande réussite.

Homme Sagittaire / Femme Bélier

Tous deux sont généreux et chaleureux, mais le Sagittaire est plus concret, plus cynique que sa partenaire Bélier; aussi, sera-t-il toujours ému par l'innocence et l'honnêteté de celle-ci. Signe de Feu tous les deux, ils sont également passionnés, mais alors que la femme Bélier est un exemple de fidélité, le Sagittaire sera souvent attiré par d'autres aventures. Cependant sa sincérité et son honnêteté l'inciteront toujours à l'avouer à sa partenaire. Mais la femme Bélier, excessivement jalouse, risque de quitter rapidement ce conjoint volage.
Le Sagittaire, gaffeur né, doit se méfier de ne pas blesser sa douce compagne, si vulnérable, par malveillance ou par simple maladresse. S'ils parviennent à accorder leur vie sentimentale grâce à ce grand besoin d'aimer qu'ils ressentent profondément l'un et l'autre, ils pourront vivre une union pleine de richesses, de mouvements et d'activités sans cesse renouvelées, car ils sont tous deux d'une curiosité et d'une vivacité rares.

Femme Sagittaire / Homme Taureau

Sous la conduite de sa planète dominante, Jupiter, la femme Sagittaire aspire à bouger, à voyager, à rencontrer du monde. En effet, elle aime la nouveauté, elle aime découvrir, et pour ce faire, elle n'hésitera pas à sortir du couple, au risque de donner l'impression de fuir sans cesse, et de se disperser.
Le Taureau, en revanche, aime la tranquillité et ne cherche pas à courir à droite et à gauche. C'est chez lui qu'il se sent bien, au sein de son foyer, et il entend que sa compagne se comporte un peu plus comme une femme d'intérieur. Lui qui est pourtant calme et patient, pourra devenir intransigeant sur ce chapitre, et lui reprocher vertement ses sorties trop fréquentes, ses nombreux amis qu'il ne connaît pas et ses activités auxquelles il ne participe pas. Elle est enthousiaste, optimiste et exubérante, et aspire à une vie palpitante. Malheureusement, cette vie-là, il aura bien du mal à la lui offrir, car il est trop casanier, trop terre à terre et trop préoccupé par les problèmes financiers.
Cependant, lorsqu'ils auront compris que les concessions réciproques sont le meilleur moyen de résoudre leurs problèmes, et d'éviter les querelles, ils réaliseront une harmonie mentale, passionnelle et physique que beaucoup leur envieront.

Homme Sagittaire / Femme Taureau

Bien que fidèle, le Sagittaire a besoin d'indépendance et de liberté, même par rapport au couple. Il n'est absolument pas casanier, et totalement indifférent à la vie domestique; en fait il trouve souvent plus de satisfaction hors de son foyer.
La femme Taureau, sans être soupçonneuse, est possessive, et fonde sa conception de l'amour sur l'exclusivité.

Elle ne se satisfera donc pas d'un compagnon qui n'est jamais là et qui semble pouvoir tout à fait se passer d'elle. Elle aura alors tendance à chercher à le retenir et même à le brider, ce qui le rendra irritable et amer.
Il possède en outre un brin d'extravagance qui peut ne pas se marier à merveille avec l'esprit terre à terre et le bon sens pratique de sa compagne Taureau.
Il semble donc que ces deux partenaires soient mal armés pour réaliser ensemble une union idyllique. Effectivement, ce ne sera pas facile, et la femme Taureau devra essayer de manifester plus de réactions enthousiastes à l'idéalisme et à la spontanéité du Sagittaire qui sait également se montrer chaleureux, joyeux, et d'agréable compagnie. Lui, de son côté, doit savoir user de son optimisme naturel pour trouver le meilleur en chaque situation. Et si sa partenaire essaie, peut-être maladroitement, de le retenir au foyer, peut-être est-ce tout simplement parce qu'elle l'aime.

Femme Sagittaire / Homme Gémeaux

Ces deux signes pourraient être complémentaires; masculins tous les deux, l'Air du Gémeaux apporte des possibilités nouvelles au Feu du Sagittaire.
Jupiter est en "domicile" dans le Sagittaire, c'est à dire qu'il est parfaitement chez lui, aussi, la femme de ce signe sera-t-elle naturellement autoritaire et dominatrice. En fait, elle va apporter l'élan et l'esprit de décision qui manquent parfois au Gémeaux.
Celui-ci, mobile et souple, brillant et sociable, sera séduit par la force de caractère et la fierté de la femme Sagittaire, mais également par sa gaieté, son humour et sa gentillesse.
Tous les deux s'entendront à merveille, lorsqu'il s'agira de bouger, car ils sont l'un et l'autre attirés par le mouvement, la découverte, et les voyages. Le Gémeaux a un véritable tempérament de vagabond, et la femme

Sagittaire ne supporte ni l'immobilisme, ni la monotonie. Le Gémeaux, mercurien, a l'intelligence souple et vive, il a une psychologie d'adolescent, et peut avoir parfois la critique acerbe. Qu'il se méfie bien de ne jamais en user en public à l'égard de sa compagne Sagittaire, elle ne lui pardonnerait jamais.
En fait, c'est une combinaison qui ne manquera pas de charme et qui ne risque pas de connaître l'ennui. L'Air du Gémeaux saura tempérer le Feu du Sagittaire, ou au contraire l'attiser, créant ainsi un équilibre durable et positif au sein du couple.

Homme Sagittaire / Femme Gémeaux

Les possibilités d'entente entre ces deux personnalités sont réelles et rien ne s'oppose à ce qu'ils fassent ensemble le grand voyage de la vie. En effet, ce sont tous deux des signes mouvants, susceptibles de transformations, qui ont l'un et l'autre l'esprit vagabond et le goût des voyages. L'autorité bienveillante et jupitérienne du Sagittaire séduira la douce femme Gémeaux. Touché par son air fragile et immatériel, le Sagittaire aura envie de protéger et de rassurer sa compagne qui est en permanence inquiète. La femme Gémeaux, sentimentale et romanesque, saura apprécier à leur juste valeur les attentions et la cour charmante que lui fera le Sagittaire. Mais le trop grand intérêt que celui-ci porte aux femmes, risque d'indisposer la femme Gémeaux qui, très jalouse, n'acceptera pas ses incartades. Alors, soit il se tiendra tranquille, soit il fera preuve de discrétion, car il sait qu'il court des risques. Mais la demoiselle Gémeaux peut également ne pas être d'une fidélité exemplaire, car étant d'un signe double, elle a beaucoup de mal à faire un choix et à s'y tenir longtemps. Qu'ils se laissent l'un l'autre un minimum de liberté et qu'ils se fassent confiance et ils vivront alors une union gaie, heureuse et durable.

Femme Sagittaire / Homme Cancer

Un fait est certain: il existe a priori assez peu de points communs entre un signe de Feu masculin, et un signe d'Eau féminin.
La femme Sagittaire, régie par Jupiter, est autoritaire et forte alors que le Cancer, sous l'influence de la Lune, est plutôt timide, réservé, voire même passif.
Aussi le couple sera-t-il largement dominé par la femme Sagittaire qui prendra en main la direction du ménage.
Le Cancer ne se formalisera pas de cette situation, et, au contraire, en profitera. Echapper aux responsabilités qui lui pèsent lui convient à merveille.
Mais il ne faut pas croire que le Cancer est un être mou qui se laisse facilement diriger. La native du Sagittaire risque de s'en apercevoir à ses dépens; le calme et l'air fragile de son compagnon dissimulent en fait une sérieuse ambition et une extrême ténacité.
De plus, le Cancer, possessif et jaloux, s'accommodera très mal de l'indépendance et de l'esprit de liberté de sa partenaire.
Il faut malheureusement avouer que les points d'accord sur lesquels ces deux personnalités sont susceptibles de fonder leur entente sont trop rares pour ne pas envisager un échec possible de leur union.

Homme Sagittaire / Femme Cancer

Le seule question est de savoir si c'est l'Eau du Cancer qui va éteindre le Feu du Sagittaire ou si c'est ce dernier qui va griller vif le petit animal marin. Toujours est-il que l'accord sera probablement des plus difficiles.
Le Sagittaire aura tendance à être dominateur, mais la femme Cancer n'acceptera pas toujours de se soumettre à son autorité; malgré son calme et sa douceur apparente, elle sera tout à fait capable de manifester son mécontentement d'un vif coup de pince.

Sans doute sont-ils tous les deux indépendants, mais alors que le Sagittaire est prêt à accorder à sa compagne la liberté qu'il souhaite pour lui-même, celle-ci, possessive et jalouse, n'acceptera pas de son Sagittaire la moindre incartade. Ou alors, ce sera à nouveau le coup de pince. En fait, ce couple aura beaucoup de mal à se stabiliser harmonieusement. En effet il n'existe pas entre eux le minimum d'affinités qui fait que deux êtres partagent des goûts et des besoins identiques et une vision commune du monde, et le minimum de complémentarité pour éviter l'ennui et l'étiolement des sentiments.

Femme Sagittaire / Homme Lion

Que peut faire le Feu du Lion lorsqu'il se mêle au Feu du Sagittaire? Et bien, le plus souvent, un magnifique feu de joie dont la flamme restera longtemps vive.
Lui, l'homme avec un H majuscule devant qui il est de bon ton de faire la révérence, sera immédiatement séduit par la femme Sagittaire élégante, raffinée et légèrement distante. Il essaiera, comme à son habitude, de son montrer brillant, toute crinière dehors, espérant susciter son adoration immédiate, la voir se pâmer devant sa splendeur. Mais il n'en sera rien; la femme Sagittaire n'est pas du genre à se jeter au cou du premier venu, fût-il Lion. Il faut savoir la conquérir.
En fait, ils sont tous deux de la même trempe, et le savent bien.
La belle Sagittaire, indépendante, fière et dynamique, obligera le Lion à la respecter, et c'est ce qu'il attend d'elle car au fond, il méprise les proies trop faciles.
Tous deux sont des amoureux de la vie; ils ont les mêmes goûts, les mêmes besoins, les mêmes élans et surtout la même générosité.
Ensemble, ils sauront vivre au même rythme, en regardant vers l'avenir et en se jouant de tous ces obstacles que certains considèrent infranchissables.

Homme Sagittaire / Femme Lion

S'il y avait dans le zodiaque un couple idéal, sans doute se rapprocherait-il de celui-ci.
L'homme Sagittaire et la femme Lion allient force, dynamisme, sagesse et générosité; que peut-on rêver de plus? Jupiter dominant fortement son signe, le natif du Sagittaire aime commander, mais il le fait de façon courtoise et respectueuse. Il n'a aucun mal à prendre des décisions avec courage et rapidité et à entraîner les autres à sa suite. Elle, entreprenante et dynamique, saura apprécier ces qualités; si de son côté, elle peut parfois se montrer autoritaire, elle respectera cependant les décisions de son partenaire et saura toujours faire en sorte qu'elle ne se sente pas contrainte.
Le Sagittaire adore les femmes, il est très séducteur, gai, amusant et plein d'attentions. Mais avec sa Lionne, il a tout intérêt à être prudent, car il n'est pas question d'aller courtiser à gauche ou à droite; le coup de griffe pourrait être terrible et laisser des traces indélébiles.
La femme Lion est jalouse, il faut le savoir, et faire en sorte qu'elle n'ait pas de motifs de l'être. Sans doute le Sagittaire sera t-il assez intelligent pour le comprendre et préserver ainsi une entente qui a toutes les chances d'être profonde, durable, et guidée par un idéal commun.

Femme Sagittaire / Homme Vierge

L'homme Vierge peut être séduit par la femme Sagittaire. Lui qui est réservé et parfois inhibé même éprouvera de l'admiration et de l'attirance pour cette femme indépendante, active, curieuse de tout, et sans cesse en mouvement. Mais passé le premier émerveillement, cette vivacité et ce dynamisme pourraient fatiguer et effrayer notre Vierge pour qui le summum du bonheur réside, outre l'amour, dans un bon petit intérieur bien confortable.

Autant dire que la communication risque d'être, à très court terme, difficile, avec une demoiselle Sagittaire qui n'envisagera sûrement pas une telle union avec enthousiasme.
L'homme Vierge doit alors se rappeler une chose: l'influence de Jupiter donne à la femme Sagittaire une grande autorité naturelle et le goût du pouvoir. Elle n'appartiendra à personne et ne se laissera jamais domestiquer.
Un homme averti en vaut deux. Maintenant, il lui reste à faire un certain nombre de concessions, s'il souhaite prolonger cette aventure. L'harmonisation sera toujours possible malgré les tensions, excepté s'il refuse le besoin de liberté de sa partenaire et tente de la tenir enfermée dans le nid douillet qu'il lui a préparé.

Homme Sagittaire / Femme Vierge

C'est une union qui n'est pas très sûre, tout n'est pas gagné d'avance, mais le bonheur peut être accessible.
La Vierge, sérieuse, réservée, semble toujours absorbée par les problèmes quotidiens qu'elle résout d'ailleurs à merveille.
Le Sagittaire l'étonne et la fascine: il a l'air tellement étranger aux contingences matérielles, il semble vivre sans contrainte, et il ose ce qu'elle n'ose pas.
Qu'elle lui offre la stabilité et la sagesse, il peut en avoir besoin, mais qu'elle s'abstienne de lui faire la morale comme elle aime tant le faire, car le Sagittaire se braquerait et chercherait à s'échapper.
Elle est possessive et tenace, or il a grand besoin de liberté. Si elle essaie de le maintenir de force dans son petit monde à elle, trop matériel et bien aseptisé, il étouffera. En revanche, si elle accepte que les rôles soient bien définis, tout ira pour le mieux. Il cultivera les contacts extérieurs amicaux et professionnels dont il a besoin, elle se réservera les tâches domestiques et l'entretien du foyer. Il aura la liberté, elle aura la stabilité et la sécurité.

Dès qu'un tel équilibre sera instauré, rien n'empêchera plus la Vierge et le Sagittaire de former un couple solide et durable.

Femme Sagittaire / Homme Balance

L'entente entre ce signe d'Air trop calme et ce signe de Feu trop vif est en principe assez bonne; l'élément dynamique se combinant à un élément stabilisateur.
Le natif de la Balance, séducteur né, n'aura aucun mal à plaire à une Sagittaire. Galant, prévenant, délicat et plein de tact, il a en principe toutes les qualités qu'elle souhaite trouver chez un homme.
Lui sera attiré par la vivacité, le dynamisme et l'enthousiasme de la femme Sagittaire. Mais il s'apercevra bien vite, lui le calme et le placide, que sa compagne n'est pas de tout repos; en effet, celle-ci sera toujours en mouvement, toujours ailleurs, et surtout peu attirée par la quiétude du foyer.
En fait, c'est sa façon à elle d'aimer la vie, elle adore rencontrer du monde, faire du sport, voyager...
L'homme Balance devra donc s'efforcer d'adopter le rythme de vie de sa partenaire ou au moins d'éviter de lui imposer le sien, car une Sagittaire, autoritaire et indépendante, n'acceptera jamais de se laisser contraindre même par l'homme qu'elle aime.
Moyennant quelques concessions, au demeurant bien naturelles, il n'y a aucune raison de s'inquiéter pour l'avenir de ce couple qui a toutes chances de connaître une longue vie équilibrée et heureuse.

Homme Sagittaire / Femme Balance

La Balance et le Sagittaire sont tous deux des séducteurs, mais elle, c'est par nature (Vénus est sa planète), et lui,

c'est par jeu. Or elle n'apprécie pas ce genre de jeu, elle est bien trop fidèle et a bien trop tendance à idéaliser le couple pour accepter un homme volage. Mais le Sagittaire n'est pas que volage! Et auprès de la Balance, il trouvera une stabilité qui lui conviendra et sera alors capable de se montrer le plus fidèle et le plus prévenant des hommes. D'autant plus qu'il aura trouvé chez cette douce Balance, la femme idéale, féminine, aimante, généreuse, tolérante et équilibrée. Jupiter, dominant fortement le signe, le Sagittaire aimera commander et saura prendre au bon moment les bonnes décisions. La Balance, qui elle est toujours hésitante, se sentira en confiance et se reposera totalement sur son Sagittaire qui présidera aux destinées du couple. Elle ne déteste pas nouer des contacts à l'extérieur et n'hésitera pas laisser à son partenaire un minimum de liberté.
Pourvu qu'il se sente aimé, elle sera pour le Sagittaire une compagne parfaite.

Femme Sagittaire / Homme Scorpion

La rencontre d'un signe d'Eau fixe et d'un signe de Feu mutable peut être à la base d'une union solide, capable de résister, avec succès, tant aux agressions de l'extérieur qu'à celles de l'intérieur.
L'homme Scorpion et la femme Sagittaire ont un grand nombre de points communs; ils sont fiers, énergiques, dynamiques, fantaisistes, ambitieux, et possèdent surtout le goût de la vie.
Si le Scorpion aime plaire aux femmes, ce n'est pas véritablement le séducteur type. Il est trop froid pour cela, il manque de générosité et semble même parfois étranger à toute sensibilité. Il ne faut pas s'en étonner car il a Vénus en "exil", ainsi l'influence de celle-ci se trouve-t-elle affaiblie et quelque peu viciée.
Mais de toute façon, mademoiselle Sagittaire n'est pas femme à se laisser séduire par un bellâtre. Son tempéra-

ment énergique et fort et sa haute opinion d'elle-même l'incite à rechercher un partenaire avec qui elle puisse rencontrer un accord intellectuel.
Par ailleurs, comme aucun de ces deux signes ne se laissera domestiquer ou dominer par l'autre, il y aura sans doute des rapports de force, parfois même violents, mais qui agiront toujours comme des stimulants pour ce couple toujours en quête d'aventures, de nouveautés et d'idéaux communs.

Homme Sagittaire / Femme Scorpion

Voici une combinaison qui a toutes les chances de donner les meilleurs résultats.
La femme Scorpion, qui est beaucoup plus vulnérable qu'elle en a l'air, se sentira vivement attirée par ce brillant jupitérien, bienveillant, chaleureux, et qui semble posséder un sens inné de l'autorité.
Lui-même sera séduit par cette femme sensible, au cœur tendre et généreux. En effet, à la différence de son frère du même signe, la femme Scorpion est beaucoup plus affective et sentimentale et moins soumise à l'influence guerrière de Mars.
Le Sagittaire, éternel vagabond, qui a besoin à la fois d'un point fixe lui servant d'appui et d'une très grande liberté, sera pleinement compris par sa compagne Scorpion.
Celle-ci beaucoup plus stable que le bouillant Sagittaire, l'aidera à canaliser son énergie, sans pour autant le réfréner et le contraindre.
Même s'il n'est pas toujours très fidèle, et s'il se permet quelques petites aventures amoureuses, elle saura, au moins au début, fermer les yeux. Mais il ne faudrait pas que ce comportement devienne chez lui une habitude, car la petite Scorpion, se sentant trop violemment agressée, serait bien capable d'infliger à cet incorrigible une piqûre mortelle.

Femme Sagittaire / Homme Sagittaire

C'est une relation en miroir qui peut donner le pire comme le meilleur, car chacun connaît déjà l'autre au travers de lui-même.
Sans doute l'homme et la femme Sagittaire ne rencontreront-ils pas dans leur couple ces qualités complémentaires qui sont souvent le gage de l'équilibre et de la réussite, mais ils possèdent en commun suffisamment de points forts et fondamentaux pour pouvoir créer ensemble une union profonde et durable.
Les tensions seront toutefois susceptibles de se manifester lorsqu'il s'agira de prendre des décisions importantes, car ils sont tous deux autoritaires et dominateurs et de ce fait incapables de se soumettre. Cependant, on peut espérer que, généreux et intelligents comme ils sont, ils se montreront capables d'oublier un peu leur orgueil et leur fierté et d'accepter les concessions réciproques qui permettent au couple de s'épanouir et d'évoluer.
Ils ont tous les deux la bougeotte, une fringale d'aventures et de voyages. Ce sont des mordus de la vie. Et c'est cela qui leur permettra d'aller toujours de l'avant sans jamais se scléroser, poussés par un optimisme et une gaieté capables de triompher de tous les obstacles.

Femme Sagittaire / Homme Capricorne

La femme Sagittaire recherche auprès d'un partenaire masculin la sécurité émotionnelle et elle a toute chance de la trouver auprès du Capricorne.
Elle appréciera la galanterie de ce dernier ainsi que ses manières convenables presque trop discrètes. Dans ce que certains prennent pour de la froideur et de la distance, elle y verra de la bonne éducation, de la considération et un certain respect d'autrui.
Le Capricorne, quant à lui, sera attiré par cette jeune

personne cordiale, enjouée, épanouie et tout à fait dépourvue d'hypocrisie.
Ils sont tout à fait capables de former ensemble un couple uni et durable au sein duquel la demoiselle Sagittaire apportera l'optimisme, l'enthousiasme et la joie de vivre pendant que le Capricorne, déterminé et ambitieux, se consacrera à sa carrière, afin d'obtenir la situation sociale et financière qu'il juge digne de lui.
Attention, car si l'un et l'autre savent pardonner, aucun des deux ne sait vraiment présenter des excuses, et c'est pourtant bien utile pour chasser les nuages qui de temps en temps obscurcissent les meilleures ententes.

Homme Sagittaire / Femme Capricorne

Le Sagittaire est tout d'abord séduit par cette femme qui a l'air de savoir ce qu'elle veut dans la vie, qui lui semble également si douce et si féminine. En fait, si la femme Capricorne est calme et réservée, il ne doit pas en conclure pour autant qu'elle sera docile et obéissante. Ce serait une grave erreur. La native du Capricorne, gouvernée par Saturne, est tout, sauf docile; elle est au contraire autoritaire et ne déteste pas commander.
C'est une qualité qui pourra satisfaire le Sagittaire; il lui laissera volontiers le soin de prendre en main l'organisation matérielle du foyer et de la maison, mais sans doute pas plus.
Ils sont tous deux sensés et réalistes, mais elle a plus que lui cette manière concrète d'aborder toute chose. Elle se méfie du côté rêveur du Sagittaire, même si ses rêves ne sont jamais insensés et qu'il peut avoir la volonté nécessaire pour les réaliser.
Le Sagittaire doit prendre garde, car il lui arrivera d'être maladroit et de blesser sa compagne Capricorne avec des propos trop catégoriques ou des termes trop crus. Les méchancetés même involontaires laissent chez elle une cicatrice que sa pudeur empêchera de montrer.

Il saura vite déceler sous la froideur apparente de la femme Capricorne un profond sentiment de solitude et une vive sensibilité qui lui donneront envie de la protéger et de l'aimer.

Femme Sagittaire / Homme Verseau

Voilà deux êtres qui se complètent très bien tout en sachant enrichir leur couple de leurs différences, ce qui n'est possible que lorsqu'on a déjà suffisamment de choses en commun.
Tous deux sont très ouverts et chercheront toujours à découvrir, tant les choses que les personnes. Aussi ne sera-t-il pas rare de les voir voyager ensemble pour le plaisir de l'aventure et pour la joie de l'enrichissement intellectuel.
La femme Verseau et l'homme Sagittaire forment un couple fondé sur la confiance, où chacun sait accorder à l'autre la liberté qui est nécessaire à son parfait épanouissement.
Par nature, le Verseau se sent détaché des besoins et des impératifs matériels; cette attitude n'entraînera sûrement pas de conflits majeurs avec sa partenaire Sagittaire qui elle-même n'accorde pas aux choses matérielles une importance considérable.
Ils ont effectivement beaucoup de choses en commun pour pouvoir prétendre à une union positive; leur amour sera aussi fortifié par l'estime qu'ils se portent l'un à l'autre et une complicité intellectuelle certaine.

Homme Sagittaire / Femme Verseau

Un homme Verseau et une femme Sagittaire s'attirent assez naturellement. Ils sont l'un et l'autre novateurs et anticonventionnels, et ont un bon contact intellectuel. A

cet égard, donc, leur union s'annonce sous les meilleurs auspices.
Le Sagittaire est un homme cordial et enjoué, et surtout sincère et dépourvu d'hypocrisie, qui plaira beaucoup à la demoiselle Verseau, elle-même plutôt gaie et très idéaliste.
Tous deux aiment se trouver au milieu d'amis. Les réunions et les réceptions ne leur font pas peur, bien au contraire. Mais lui ressent au fond de lui-même un goût de l'aventure qui l'attire vers les voyages et les activités sportives. Une femme Verseau n'aura rien contre; elle saura même participer et se montrer aussi dynamique que lui. Il appréciera le caractère altruiste de sa compagne et en subira l'influence bénéfique au point de se lancer à ses côtés dans des actions de charité.
Chacun dispose d'une liberté d'action par rapport au couple, et chacun est prêt à l'accorder à l'autre en fonction de son besoin propre. Les petitesses et les jalousies semblent exclues chez eux.
Ce tableau peut paraître trop parfait, il n'en est rien; simplement une femme Verseau et un homme Sagittaire auront sans doute moins de mal que d'autres à rester unis et à marcher ensemble vers le bonheur qu'ils se sont promis.

Femme Sagittaire / Homme Poissons

Sur la roue du zodiaque, Sagittaire et Poissons sont en "quadrature", c'est-à-dire qu'ils forment un angle de 90° et cet aspect est considéré par la tradition astrologique comme particulièrement défavorable; il annonce tensions, incompatibilités et conflits.
Il est probable que dans un tel couple, chacune des deux parties n'assumera pas le rôle traditionnel que la société lui attribue généralement.
En effet, la femme Sagittaire possède un goût du pouvoir, une autorité naturelle et un esprit de décision qui font

que c'est elle qui "mènera la barque". Le Poissons sera ravi de se voir déchargé d'un certain nombre de problèmes qui lui pèsent et auxquels il se sent complètement étranger.
Mais leur grande source de divergence réside dans le fait qu'ils se sentent tous les deux attirés par l'"ailleurs" et cet ailleurs n'a pas les mêmes contours pour elle et pour lui. La femme Sagittaire souhaite voyager physiquement, partir pour des contrées lointaines, découvrir de nouveaux espaces, alors que le Poissons ne se déplace que dans ses rêves, ses chimères et ses fantasmes.
S'ils veulent, malgré cela, se rencontrer un jour et parcourir un bout de chemin ensemble, il faut qu'ils aient un idéal commun suffisamment élevé pour pouvoir rassembler leurs volontés et leurs énergies.

Homme Sagittaire / Femme Poissons

L'Eau du Poissons et le Feu du Sagittaire auront sans doute quelques difficultés à s'unir harmonieusement.
Le Sagittaire saura, à n'en pas douter, séduire la douce ondine un peu timide qui déjà le regarde de ses yeux énamourés.
La grande faiblesse de cette demoiselle Poissons, mais aussi un de ses charmes et une de ses qualités, c'est son idéalisme et son romantisme. Elle passe la plupart de son temps à rêver et, chez elle, fantasmes et réalité sont intimement liés.
Aussi, dès qu'elle a vu apparaître ce beau Sagittaire, gai, spontané, optimiste, généreux et sûr de lui, elle l'a reconnu. Combien de fois dans ses rêves, l'a-t-il déjà prise dans ses bras?
Mais très vite le Sagittaire va être exaspéré par l'espèce d'immobilisme de sa compagne, ainsi que par sa perpétuelle indécision. Par ailleurs, lui qui a besoin de plein air, de sport, de mouvement, de voyages, va très vite se

sentir étouffé auprès de cette jeune femme très amoureuse, mais trop possessive.
L'union reste possible, d'autant que dans la variété des nuances apportées par l'ascendant et le type planétaire, il s'en trouvera pour les rapprocher.

Personnages célèbres natifs du Sagittaire

Dans le signe du Sagittaire, on trouve bien entendu des voyageurs et des aventuriers comme Guynemer, Mermoz, Surcouf, Lesseps; des philosophes et des penseurs comme Engels et Spinoza; des hommes politiques de premier plan comme Churchill, Franco, Willy Brandt, Staline; des musiciens come Berlioz, Beethoven; des peintres comme Toulouse-Lautrec; des écrivains comme Gide, Ionesco, Flaubert, Kipling; et enfin de nombreux acteurs ou chanteurs comme Gérard Philippe, Frank Sinatra, Jean Louis Trintignant, Edith Piaf, Jane Birkin, Enrico Macias.
Même si les planètes qui dominent les thèmes permettent le plus souvent un classement spécifique, les individus du même signe ont parfois par certains traits de leur personnalité ou par certains événements de leur vie des ressemblances notables.
Nous ne nous arrêterons ici que sur quatre d'entre eux.

Winston Churchill

Né à Blenheim dans le comté d'Oxford le 29 Novembre 1874. Le Soleil et Vénus sont en Sagittaire et Vénus s'y trouve à la fois au trigone d'une conjonction Lune-Uranus en Lion et au sextile d'une conjonction Mars-Jupiter en Balance. Le sujet aura donc la volonté, la bravoure et l'audace, conférées par la conjonction Mars-Jupiter ainsi que l'autorité du Lion.

Dès sa jeunesse, Churchill est attiré par l'aventure lointaine; d'abord Cuba, puis les Indes et l'Afrique du Sud où il part en tant que reporter militaire. Il se lance ensuite dans la politique. Premier lord de l'Amirauté, on lui attribue l'échec de l'expédition des Dardanelles et sa carrière semble alors définitivement compromise. A la veille de la Seconde Guerre mondiale, il est à nouveau nommé à l'Amirauté à la plus grande joie de toute la marine britannique qui connaissait sa volonté farouche, sa ténacité et sa vaillance.
A 65 ans, il rendit courage et espoir à l'Angleterre et à toute l'Europe occupée en leur prédisant après les larmes, la sueur et le sang, la victoire définitive.

Jean Mermoz

Né à Aubenton dans l'Aisne le 9 Décembre 1901 à 1 heure 40. Très tôt, ce Sagittaire a eu la passion de l'aventure, du voyage et des grands espaces. Il fut le pionnier de la ligne Rio de Janeiro-Santiago du Chili et éest lui qui effectua la première liaison postale aérienne directe France-Amérique du Sud. Il n'avait pas 30 ans.
S'il fut fasciné par les espaces aériens, il le fut également par les grandes étendues désertiques.
Lorsqu'il disparut à l'âge de 36 ans, il n'avait connu qu'une passion, mais il l'avait vécue jusqu'au bout.

Robert Surcouf

Né a Saint-Malo le 12 Décembre 1773 avec le Soleil conjoint à Mars, ainsi que la Lune en Sagittaire.
A peine adolescent, il commença à parcourir les mers, d'abord sur les caboteurs qui commerçaient le long des côtes puis sur des navires corsaires avec lesquels il faisait la course contre les Anglais.

Afin de garder son indépendance et de continuer à sillonner les mers à sa guise, il refusa le grade de capitaine que lui offrait Napoléon.

Georges Guynemer

Né à Paris le 4 Décembre 1894 à 10 heures 30.
A peine âgé de 20 ans, lorsque la guerre éclate, mais épris d'aventure et d'idéal, il entre dans l'aviation pour se battre. Sa devise "Faire face" et son héroïsme en ont fait une figure légendaire.
Lorsqu'il disparut à l'âge de 23 ans, il était titulaire de 54 médailles.

La décoration et le Sagittaire

Des fenêtres grandes ouvertes d'où s'échappe un flot de musique, des portes qui laissent s'infiltrer des rires en cascade... la maison du Sagittaire est bien celle de la gaieté et du mouvement. Il lui faut être assez vaste pour accueillir tous ceux qui passent, assez confortable pour assurer le bien-être de chacun. Peu de choses suffisent à donner à cet intérieur l'élégance et la noblesse dont aime s'entourer le maître des lieux. En effet, si le natif du Sagittaire refuse les espaces surchargés, il sait disposer avec goût les tapis persans, une commode Directoire, un rocking-chair original. Il est de ceux qui arpentent volontiers les salles de ventes. Chez lui, les étoffes aux imprimés discrets sont de belle qualité, les pièces s'harmonisent dans de chaudes tonalités. On pourra trouver sur un guéridon une lettre inachevée, un livre en cours, la photo d'une île lointaine car les natifs du Sagittaire s'évadent bien souvent de la maison qu'ils aiment: grâce aux voyages, à la littérature ou bien grâce à leurs rêves.

Divers

Animal: souris.
Art: théâtre.
Chiffres: 2, 31, 60, 93.
Couleur: bleu clair.
Héros: Gandhi, Sadate.
Jour: jeudi.
Loisirs: lecture, télévision.
Métal: étain.
Parfum: œillet.
Pays: Espagne, Gabon.
Plante: poirier.
Pierre: turquoise.
Saison: printemps.
Sports: tennis, course.
Transports: vélo, autobus.
Vêtements: décontractés.

PREVISIONS

La position des planètes en 2001

La planète **Mars** commencera l'année 2001 dans le signe du Scorpion. Elle entrera dans le signe du Sagittaire le 15 Février et y séjournera jusqu'au 9 Septembre. C'est donc ce signe qui sera cette année le plus influencé par cette planète. A partir de cette date et jusqu'au 28 Octobre, la planète Mars sera domiciliée dans le signe du Verseau, puis dans celui du Poissons à partir du 9 Décembre et jusqu'à la fin de l'année.

La planète **Vénus** effectuera un cycle zodiacal complet. Elle commencera l'année dans le signe du Verseau puis entrera le 4 Janvier dans le signe du Poissons puis dans celui du Bélier entre le 3 Février et le 7 Juin. C'est dans ce signe que Vénus fera son séjour le plus long. A partir du 7 Juin, Vénus traversera le Taureau jusqu'au 6 Juillet. Entre le 6 Juillet et le 2 Août, Vénus sera domiciliée dans le Cancer. Entre le 2 Août et le 28 Août, Vénus traversera le Lion, puis le signe de la Vierge à partir du 22 Septembre. Entre cette date et le 16 Octobre, Vénus traversera le signe de la Balance, puis celui du Scorpion entre le 16 Octobre et le 9 Novembre. Entre le 9 Novembre et le 3 Décembre, Vénus sera dans le signe du Sagittaire, pour terminer l'année à partir du 27 Décembre dans le signe du Capricorne.

L'influence de **Mercure** sera particulièrement sensible en l'an 2001 sur les signes du Capricorne, du Verseau et du Poissons puisque la planète séjournera dans ces trois signes à deux reprises: dans le Capricorne en début et en fin d'année (avant le 11 Janvier et à partir du 16 Décembre), dans le Verseau entre le

11 Janvier et le 2 Février et entre le 6 Février et le 18 Mars dans le Poissons, enfin entre le 2 et le 6 Février et entre le 18 Mars et le 7 Avril.
Entre le 7 et le 22 Avril, Mercure traversera le signe du Bélier, puis celui du Taureau jusqu'au 7 Mai. A partir de cette date et jusqu'au 13 Juillet, la planète Mercure sera domiciliée dans le signe du Gémeaux, puis dans celui du Cancer jusqu'au 31 Juillet. Entre le 31 Juillet et le 15 Août, Mercure séjournera dans le signe du Lion, puis dans celui de la Vierge jusqu'au 2 Septembre. A partir de cette date et jusqu'au 8 Novembre, Mercure sera domiciliée dans le signe de la Balance. Entre le 8 et le 27 Novembre, Mercure traversera le signe du Scorpion, puis sera dans celui du Sagittaire entre le 27 Novembre et le 16 Décembre.

La planète **Pluton** sera domiciliée pendant toute l'année 2001, comme l'année dernière, dans le signe du Sagittaire. Cela veut dire que l'influence de Pluton se fera sentir essentiellement sur les signes du Sagittaire, de la Vierge (bon aspect) et du Gémeaux (aspect un peu moins favorable).

La planète **Neptune** séjournera pendant toute l'année dans le signe du Verseau. Son influence se fera particulièrement sentir sur les signes du Verseau, du Lion (aspect pas très favorable de l'opposition) et du Scorpion (aspect favorable du sextile).

Comme l'année dernière, **Uranus** séjournera toute l'année dans le signe du Verseau. L'influence de cette planète sera donc également surtout sensible sur les signes du Verseau, du Lion (opposition) et du Scorpion (sextile).

La planète **Saturne** séjournera pendant presque toute l'année dans le signe du Taureau, signe sur lequel elle aura une influence particulièrement apaisante.
Elle sera domiciliée à partir du 21 Avril dans le signe du Gémeaux. Son influence se fera donc particulièrement sentir sur le Taureau, le Gémeaux, le Scorpion (opposition), et le Cancer et le Lion (sextile).

Jupiter commencera l'année dans le signe du Gémaux, puis entrera à partir du 13 Juillet dans le signe du Cancer. L'influence de cette planète sera donc particulièrement sensible sur les signes du Gémeaux, du Cancer, du Sagittaire et du Capricorne.

DATES IMPORTANTES

Janvier	*4, 11*
Février	*2, 3, 6, 15*
Mars	*18*
Avril	*7, 21, 22*
Mai	*7*
Juin	*7*
Juillet	*6, 13, 31*
Août	*2, 15, 28*
Septembre	*2, 9, 22*
Octobre	*16, 28*
Novembre	*8, 9, 27*
Décembre	*3, 9, 16, 27*

Sur le plan affectif, les dates importantes de cette année seront le 4 Janvier, le 3 Février, le 7 Juin, le 6 Juillet, les 2 et 28 Août, le 22 Septembre, le 16 Octobre, le 9 Novembre et les 3 et 27 Décembre.
Sur le plan professionnel, les dates importantes de cette année seront le 11 Janvier, les 2 et 6 Février, le 18 Mars, les 7 et 22 Avril, le 7 Mai, les 13 et 31 Juillet, le 15 Août, le 2 Septembre, les 8 et 27 Novembre et le 16 Décembre.

Perspectives mondiales

Ce nouveau millénaire a commencé dans de meilleures conditions. Des événements du siècle dernier ont montré que de nombreuses formes de violence n'étaient pas acceptables. Grâce au cycle zodiacal complet de Mercure en 2001, chacun prendra conscience de la nécessité d'une plus grande coopération entre les hommes sans pour autant renier l'identité culturelle de chacun. Les années à venir, et particulièrement 2001, seront des années marquées par la nécessité affirmée de la spécificité de chaque Etat tout en favorisant l'intégration dans des communautés politiques regroupant plusieurs pays.
Pluton domiciliée dans le Taureau une partie de l'année incite à regarder avec attention l'exemple de l'Europe. C'est le cas des voisins d'Asie avec le recoupement d'Etats dans le sous-continent indien, des pays autour de la mer Noire sous l'égide de la Turquie, de l'Asean, des trois pays du continent nord-américain avec l'Alena, ou encore le Mercosur avec l'Argentine, le Brésil, l'Uruguay et le Paraguay.
Certes 2001 sera l'occasion d'un nouveau dynamisme pour les Etats-Unis après l'élection du nouveau président. Après les scandales largement médiatisés, une Amérique puritaine essayera de reprendre le dessus, mais les excès resteront limités. La jeunesse des présidents des Etats-Unis et de la Russie devient un atout et une source d'optimisme pour beaucoup. Le rapprochement des méthodes de travail des deux hommes en témoigne, toutefois l'informatique est une nouvelle arme performante et les deux pays se montreront très attentifs sur la façon d'agir de l'autre.
Aux Etats-Unis, à l'intérieur même du pays, les minorités cherchent à défendre leurs droits, notamment les citoyens américains de langue espagnole. Ce pays attire toujours autant de

monde mais l'écart entre riches et pauvres dans certaines villes américaines reste impressionnant.
En Russie, les nouveaux maîtres du Kremlin font régner un nouvel ordre économique mais ne peuvent écarter tout dérapage, en particulier de la part de la nomenklatura russe. Les combats en Tchétchénie ont marqué l'opinion mondiale, et le gouvernement essaie de rétablir son image.
Après une année difficile, l'Union européenne connaît une accalmie. Les présidences portugaise et française de l'Union ont malgré tout connu quelques succès, mais le couple franco-allemand ne réussit pas à s'imposer comme ce fut le cas au début des années 90. La Grande-Bretagne, bien que plus réticente à certains aspects de l'intégration européenne, cherche à imposer ses vues, mais les pays du Sud deviennent de plus en plus un contrepoids, et le succès des élections espagnoles en mars 2000 est significatif. La conférence intergouvernementale connaît le succès que l'on sait, mais la grande préoccupation pour 2001 et pour les années à venir est l'attitude des futurs Etats membres, notamment de la part de ceux qui espèrent une adhésion très rapide.
L'environnement tient une place plus importante auprès de l'opinion publique, mais la ratification des accords de Kyoto s'avère délicate: la clause prévoyant l'entrée en vigueur des accords de Kyoto après la ratification par cinquante-cinq Etats qui produisent au moins 55 % des émissions de CO_2 montre le poids de la Chine, des Etats-Unis et de l'Inde. Mais la nouvelle équipe au pouvoir aux Etats-Unis laisse place à un certain optimisme. L'écologie dans notre mode de vie s'impose de plus en plus et devient à l'aube de ce nouveau millénaire comme une nécessité. La présence de ministres écologistes ou verts dans quelques gouvernements, en Europe en particulier, est là pour rappeler leur force, mais dans certaines situations la solidarité gouvernementale entraîne des difficultés entre les ministres et leurs militants écologistes.
Après les droits de la personne, l'amélioration des droits de la femme devient une réalité politique, le principe de la parité adopté dans certains Etats s'accentue en 2001. Même si le débat continue sur l'intérêt d'imposer des quotas ou non, il

n'en reste pas moins que cette politique redonne à tout gouvernement de nouvelles formes de réflexion et d'actions prenant davantage en considération les préoccupations du citoyen.
L'Amérique latine et l'Asie se redressent lentement des difficultés économiques de la fin du siècle dernier, mais la position de la planète Mars laisse envisager des difficultés dans les relations entre la Chine et Taïwan après l'arrivée de la nouvelle équipe au pouvoir.
Vénus a incontestablement marqué en 2000 de nombreux croyants et non-croyants. La communication réalisée autour des cérémonies organisées dans le cadre du Jubilé 2000 ont eu de nombreuses répercussions. Le succès de certaines manifestations telles que la visite du pape Jean-Paul II en Terre Sainte, les actes de pardon de l'église catholique, ou encore le succès de la semaine sainte à Rome et dans le monde, ou encore celui des journées mondiales de la jeunesse sont porteurs d'une immense espérance. En 2001 la jeunesse, forte de ces différents témoignages, se sent plus volontaire mais aussi plus généreuse, répondant ainsi aux critiques d'insouciance et de manque d'enthousiasme. 2001 est une année charnière pour les rapprochements entre les jeunes qui prendront des initiatives dans ce sens.

Climat politique en 2001 pour quelques pays

Allemagne

La coalition gouvernementale connaît des soubresauts mais n'entame en rien la volonté du chancelier. Les affaires financières du Parti conservateur et l'ancien chancelier continuent à être évoqués, mais certains partis demandent une accalmie dans les critiques et demandent que cette affaire soit replacée dans son contexte. Le succès de l'exposition de Hanovre est riche d'enseignement sur la façon de vulgariser la technologie.

Belgique

Les bonnes nouvelles de l'année 2000 et surtout les bons résultats économiques renforcent la popularité du gouvernement. Les événements autour de la famille royale renforcent la cohésion du pays, et les décisions en matière de politique étrangère améliorent incontestablement l'image de la Belgique. Mais certains procès à retentissement ne peuvent faire oublier les drames passés. Le cinéma belge se distingue une fois de plus.

Cameroun

L'évolution récente constatée en Afrique entraîne des changements dans l'administration. Les événements produits en Ouganda en 2000 incitent les autorités à la plus grande prudence, et le gouvernement est amené à procéder de façon discrète à certaines arrestations.

Canada

Le sort du Québec fait une fois de plus monter les tensions entre l'Etat fédéral et la province du Québec. Le gouvernement fédéral souhaite mettre un terme à la succession de référendums, mais il se heurte à une forte opposition constitutionnelle. Les populations asiatiques se voient dans l'obligation de limiter leur entrée dans le pays, toutefois le gouvernement fédéral n'envisage pas de prendre des mesures draconiennes. Il n'en reste pas moins que la population des villes côtières de l'ouest connaît des changements structurels importants. Les relations avec les Etats-Unis connaissent quelques soubresauts au cours du deuxième semestre.

Centrafrique

Relations délicates à un moment de l'année avec le FMI. Certains partisans de l'ancien empereur se font remarquer. Un artiste voit son talent confirmé.

Congo

Le gouvernement voit son prestige renforcé et se trouve appelé pour des tentatives de médiation. Découvertes minières importantes.

Côte d'Ivoire

Le départ de l'ancien président de la république continue à être évoqué, mais le nouveau pouvoir en place s'impose et lance des réformes attendues depuis longtemps. Quelques ressortissants reviennent dans le pays.

France

L'année 2001 est marquée par les élections municipales. Celles-ci sont caractérisées à la fois par le climat de la cohabitation et l'introduction de la parité sur les listes de candidats. L'entrée de nombreuses femmes dans les conseils municipaux modifie très sensiblement la vie des municipalités. Mais l'approche des élections en 2002, élections législatives puis présidentielles, retient également l'attention. De nombreuses voix s'élèvent à droite pour souhaiter l'arrêt des divisions apparues notamment lors des élections municipales. Certains anciens ministres du gouvernement de Lionel Jospin continuent à se faire entendre, et leurs idées retiennent l'attention. Le débat sur l'école, notamment, reste ouvert mais le climat électoral n'incite pas à la réforme en profondeur du monde de l'enseignement. Cette année est marquée par deux grandes polémiques dans le monde des arts. La fin du service militaire apparaît d'ores et déjà comme une mesure populaire. Un vaste débat dans le pays s'instaure sur la violence dans les banlieues et sur les nouveaux moyens de l'éviter. Le secteur de l'énergie est en pleine mutation. Cela va dans le sens des décisions prises dans le contexte européen.

Gabon

La situation continue de s'améliorer, toutefois le gouvernement doit faire face à une certaine agitation. Plusieurs villes prennent des décisions importantes en matière de sécurité.

Grande-Bretagne

Le gouvernement issu des élections crée la surprise mais ne clarifie pas entièrement la position de la Grande-Bretagne vis-à-vis de l'Europe. Les liens naturels avec les Etats-Unis semblent se renforcer mais des voix s'élèvent dans le pays pour revenir à une situation européenne plus réaliste. L'arrivée dans douze autres pays de l'Union européenne des pièces et billets en euro crée une certaine inquiétude sur la place financière de Londres. Evénement heureux à la cour d'Angleterre.

Grèce

La décision de faire rentrer le pays dans la zone euro nécessite une rigueur bien admise par la majorité des citoyens. Pour beaucoup, l'arrivée massive de touristes sera l'une des conséquences permettant de dynamiser un secteur moins évolutif depuis quelques années.

Italie

Un retournement de situation électorale crée une grande confusion dans la classe politique, en particulier à l'intérieur de deux partis politiques. Le rythme des privatisations se maintient mais certaines opérations antérieures ne rencontrent pas le succès escompté. On remarque une reprise du cinéma italien, lequel est primé en différentes occasions.

Luxembourg

Les décisions européennes relatives à l'épargne engendrent quelques difficultés, mais la cohésion du monde bancaire limite les appréhensions.

Portugal

Les autorités portugaises apportent une aide importante au nouvel Etat du Timor oriental, car les séquelles de la guerre civile sont encore très importantes.
Profonde mutation dans le secteur des infrastructures. Resserrement des liens avec le Brésil.

Russie

De nouveau des gisements sont découverts dans l'ouest du pays, et les exportations de gaz s'accentuent au détriment d'autres formes d'énergie. Certains maires de Russie prônent une plus grande décentralisation.
Les combats se poursuivent dans certaines provinces de Russie qui souhaitent se voir accorder une plus grande indépendance.

Sénégal

L'élection du nouveau président de la république en 2000 entraîne de grands changements et fait bénéficier la classe politique d'un plus grand sens des responsabilités. Amélioration des relations avec certains Etats frontaliers.

Suisse

La situation autrichienne est observée avec attention par les autorités du pays. Le populisme alpin garde les faveurs de certains élus, mais le réalisme prend le dessus. L'arrivée de l'euro laisse sereine la banque fédérale. La protection des consommateurs fait l'objet des priorités du gouvernement.

Togo

Le gouvernement connaît une baisse de popularité, mais les mesures prises par le pouvoir politique sont saluées par des autorités internationales.

Turquie

Le sommet d'Helsinki qui a décidé en décembre 1999 d'admettre la Turquie dans la liste des pays candidats à l'adhésion à l'Union européenne entraîne des modifications dans le comportement des hommes politiques. Un vaste débat est lancé sur les liens existant entre ce pays et ses pays voisins, spécialement les pays arabes.

DÉPARTEMENTS ET TERRITOIRES D'OUTRE-MER

Antilles

Les élections municipales sont l'occasion de remettre en cause les liens entre certaines municipalités. Le résultat de ces élections entraîne plus de changements que ce que l'on attendait. Quelques artistes deviennent très appréciés au-delà des Antilles.

La Réunion

Des incidents sans trop de gravité dans le sud de l'île. Un rapprochement se manifeste avec d'autres îles de l'océan Indien. L'agriculture découvre de nouveaux débouchés.

Nouvelle-Calédonie

La stabilité que connaît l'île est riche d'enseignements et de bon augure pour les années à venir.

Polynésie

Les échéances électorales créent dans l'archipel des velléités d'indépendance chez certains, mais ils sont peu soutenus par la majorité des insulaires. On reparle d'un nouveau grand complexe touristique.

Les phases de la Lune en 2001

La plus grande partie des influences lunaires dépend de la succession des phases. Du premier quartier à la nouvelle Lune, les forces diffèrent de la façon suivante.

	Premier quartier	*Pleine Lune*	*Dernier quartier*	*Nouvelle Lune*
Janvier	2	5	16	24
Février	1	8	15	23
Mars	3	9	16	26
Avril	1/30	8	15	23
Mai	30	7	15	23
Juin	28	6	14	21
Juillet	27	5	13	20
Août	25	4	12	19
Septembre	24	2	10	17
Octobre	24	2	10	16
Novembre	23	30/1	8	15
Décembre	22	30	7	14

La chance et le Sagittaire en 2001

Les atouts majeurs dont vous disposerez pour mettre la chance de votre côté en 2001 sont:

• Un courant *jupitérien* vous aidera à prendre conscience que votre destinée vous appartient et que c'est à vous d'en choisir les orientations. Vous verrez que les autres ne sont pas toujours de bons conseillers pour le premier et le deuxième décan, un courant *vénusien* développera vos capacités créatrices. Profitez-en pour refuser les idées toutes faites et ayez confiance en vous.

• Pour le premier et le deuxième décan, et au cours du premier semestre, un courant *uranien* multipliera votre sens de l'effort et vous permettra de vous atteler avec succès à des réalisations de longue haleine.
Par ailleurs, votre capacité d'adaptation pendant cette même période sera également accrue, et vous aidera considérablement dans vos diverses entreprises.

• Au cours du deuxième trimestre, un important courant *vénusien* aiguisera vos capacités intellectuelles et vous aidera à trouver les solutions appropriées à certains problèmes complexes. Agissez vite, vous n'aurez pas à vous en repentir.

Ne pas oublier, toutefois, qu'il faut savoir reconnaître sa chance et l'utiliser à bon escient. Les astres n'ont en effet aucun pouvoir. Ils indiquent, ce qui est déjà très important, dans quel sens il est souhaitable d'agir pour mener une vie plus heureuse. La chance ne sourit qu'à la mesure des efforts accomplis pour la saisir.

Les amours du Sagittaire en 2001

Une amélioration très nette par rapport à 2000 est à envisager pour le natif du Sagittaire. Vous constaterez en particulier un embellissement de vos relations amoureuses dans la mesure où vous vous donnerez la peine de vous occuper un peu plus des autres et un peu moins de vous-même. Si vous analysez bien la cause de vos déboires sentimentaux, vous vous rendez compte que, vous révoltant à la moindre contrainte et n'ayant pour règle de conduite que vos caprices personnels, vous lassez même ceux et celles qui sont pourtant le plus favorablement disposés à votre égard. Si tout va bien pour vous, ne vous endormez pas dans une sécurité apparente qui n'a pour seule justification que votre aveuglement. Sur le plan affectif, les dates importantes de cette année seront les 21 et 25 Janvier, le 18 Février, le 13 Mars, le 7 Avril, les 1er et 25 Mai, le 18 Juin, le 13 Juillet, les 6 et 31 Août, le 25 Septembre, le 19 Octobre, le 13 Novembre et le 8 Décembre. L'année pourrait débuter d'une façon calme, car vos préoccupations sont essentiellement orientées vers le travail et la vie sociale. Votre pessimisme n'est en rien justifié. Février vous incite à une situation de recul, profitez-en pour retirer tous les enseignements possibles de cette période d'observation sachant que vous ne pourrez pas forcément par la suite retrouver ce climat. Mars apportera quelques changements et réservera au natif célibataire du sexe féminin ayant pour ascendant un signe d'eau (Cancer, Scorpion, Gémeaux) une rencontre susceptible de déboucher sur quelque chose de sérieux. Le sexe masculin célibataire sera dans l'ensemble moins chanceux à ce moment de l'année, des aventures sans lendemain sont très possibles. En Avril et Mai, la période vous demandera de mettre de côté l'égoïsme et de vous dévouer pour une cause ou pour une personne. Ce sera le moment idéal pour conclure une affaire sentimentale qui stagnait.

Le troisième trimestre sera une période passionnelle et passionnée au cours de laquelle vous aurez maintes possibilités d'épanouissement de votre personnalité et de votre vie amoureuse. Le célibataire pourrait rencontrer le grand amour, mais en général au cours de ce trimestre celui et celle qui auront su garder leur sang-froid s'en sortiront avec des perspectives d'union durable, et les autres avec l'espérance de nouveaux recommencements. Novembre sera un mois neutre dans la vie sentimentale du Sagittaire et la fin de l'année s'annonce très agréable pour ceux et celles qui n'ont pas perdu le goût de réserver des surprises à leur conjoint.
Mais Décembre apportera une curieuse dualité entre la vie de couple, qui tout en étant satisfaisante en apparence est ressentie comme assez frustrante, et la vie fantasmatique qui incite à aller chercher ailleurs ce que l'on imagine être incapable de trouver ici. Il sera alors préférable de résister à de telles impulsions car la déception serait encore plus brutale.

• *Pour les hommes*: certains natifs du signe vivront dans un climat passionnant frisant presque le délire amoureux: excellente entente sexuelle avec l'être aimé. Pour d'autres, c'est au niveau artistique ou spirituel que se réalisera une entente remarquable. Tous trouveront dans leur vie amoureuse une plénitude réelle.

• *Pour les femmes*: dans un tel climat astral, l'attraction physique prime sur le reste et vous risquez de vous fourvoyer dans des histoires décevantes pour vous apercevoir trop tard de vos erreurs. De nombreux conflits risquent de surgir dans votre vie pour des raisons matérielles; aussi est-il déconseillé de mélanger l'argent avec les sentiments.

• *Pour les couples*: attention à ne pas vous montrer exagérément soupçonneux et inquisiteur, ce qui mettrait votre partenaire mal à l'aise et risquerait d'entraîner des situations de rupture. Dites-vous bien que pour vivre harmonieusement à deux, il est indispensable d'apprendre à faire confiance, il n'y a pas d'autre choix. Evitez toute manifestation de jalousie et cherchez à engager un dialogue où chacune des parties pourra exprimer librement et calmement ses souhaits pour l'amélioration de la vie de couple.

La santé du Sagittaire en 2001

Premier décan

En général, après une maladie vous vous rétablissez rapidement. De plus, dans le domaine de la santé comme dans tous les autres, vous savez prendre des décisions rapides. Si les médecins vous conseillent une intervention chirurgicale, ne laissez pas traîner les choses, faites-vous opérer dans les plus brefs délais.

Deuxième décan

La santé ne sera pas votre problème majeur au cours de cette année. Surtout si vous savez surveiller votre alimentation et votre gourmandise. N'abusez pas des bonnes choses, car des crises de foie ou des problèmes intestinaux pourraient vous guetter.
Vers le milieu de l'année, vous risqueriez toutefois de souffrir d'intoxication liée à un problème alimentaire.

Troisième décan

Attention aux baisses de vitalité et de tonus, car vous oscillerez cette année entre les excès contraires, votre rythme naturel en dents de scie étant grossi à la loupe. N'oubliez pas d'avoir le mode de vie le plus sain possible (sommeil et alimentation), sinon votre fatigue se fera d'autant plus sentir. Méfiez-vous des infections microbiennes en automne. Pour certains d'entre vous, risques légers de dépression nerveuse, dont la véritable origine est toujours physique, quels que soient les événements vécus.

Le métier et les finances du Sagittaire en 2001

Cette année, un esprit conciliant et une attitude compréhensive seront vos meilleurs atouts pour aplanir les difficultés et supprimer les blocages. La bonne volonté des autres vous sera précieuse, ne la gâchez pas par votre impatience ou votre mauvaise humeur. C'est surtout dans la vie professionnelle que vous aurez besoin de déployer votre calme et votre savoir-faire pour affronter les obstacles et tirer parti d'une situation difficile. Vos possibilités intellectuelles, commerciales et artistiques connaîtront un bel essor: sachez les canaliser vers un objectif précis. Si vous ne vous dispersez pas, vous aurez toutes chances d'être satisfait du résultat.
Clarté et réalisme sont donc nécessaires pour réaliser vos aspirations. De toute façon, il y aura du nouveau en 2001 dans ce que vous faites. Des événements favorables semblent se préparer. Ne réagissez surtout pas à contre-pied, car le succès peut être au bout du chemin si vous savez vous y prendre. Vous avez plus confiance en vos possibilités qui sont réelles. Votre jugement est donc meilleur et vous permet de prendre des initiatives favorables au bon développement de votre situation sociale. Soyez conscient de ces avantages et sachez en profiter au mieux de vos intérêts. Et surtout, n'omettez jamais le facteur temps, ne négligez pas les choses de moindre importance si vous voulez être bien compris et garder votre réputation dans votre milieu professionnel. Votre orgueil joue ici un rôle positif car il vous permet de ne pas vous laisser marcher sur les pieds et d'aller jusqu'au bout de vos idées. Certaines positions astrales intéressent directement vos finances et annoncent une période plutôt satisfaisante dans ce domaine. Elles peuvent vous permettre de gagner de l'argent sans trop de difficulté, par un travail qui, s'il n'est pas passionnant s'avérera facile et plutôt bénéfique.

Les prévisions trimestrielles du Sagittaire en 2001

Premier trimestre

Vous vous retrouvez à la croisée des chemins et vous allez être obligé de prendre des décisions pouvant engager votre avenir aussi bien sur le plan professionnel que personnel. Il n'y a cependant pas lieu d'être trop inquiet, votre ciel astral favorable vous incitera à prendre la bonne direction. En face de tout problème délicat, n'agissez pas selon vos impulsions, tenez compte de l'avis de ceux qui sont mieux informés que vous.
Le natif du premier décan sera encore plus favorisé que les natifs des autres décans. Vous allez avoir l'occasion de faire des rencontres tout à fait inhabituelles au cours de ce premier trimestre. Certaines seront passionnelles surtout pour le natif du Sagittaire ascendant Bélier, Vierge ou Gémeaux mais, dans tous les cas, elles reposeront sur de bonnes résonances psychiques. Vous devrez donner une chance à ces rencontres en sachant attendre. Vous serez amené à prendre des risques calculés. Pour cela, il vous faudra avoir confiance en vous et sentir ce qu'il convient de faire. Dans l'ensemble, il y aura suffisamment de soutiens à vos projets pour que vous puissiez triompher des obstacles.
Sur le plan personnel et professionnel, les dates importantes de ce trimestre seront les 1er, 5 et 18 Janvier, les 5, 6 et 12 Février, le 24 Mars.

Sentiments: vous serez enclin à un excès de romantisme et vous vous ferez des illusions dans le domaine affectif. Tout cela ne sera pas grave si vous ne cherchez pas délibérément à prolonger cet état de déphasage. Pour la plupart des natifs du signe, la période sera marquée par les amours fortes et les plaisirs sensuels mémorables.

Profession: la routine risque d'être bousculée, les habitudes de travail changeront. Cela peut se traduire par une mutation, une promotion, un changement d'emploi ou d'orientation de carrière. Cela peut être aussi un déménagement, des voyages ou une transformation radicale de votre façon de vivre. Laissez-vous entraîner par le flot des événements. Ne soyez pas effrayé par la nouveauté.
Surtout, employez-vous à terminer les travaux en cours, et à mettre un point final aux projets qui ne peuvent décoller.

Santé: malgré une légère tendance au pessimisme et à la rêverie, vous sentirez monter en vous une bonne dose d'énergie. Vous aurez besoin de bouger, de vous dépenser. Pensez aux sports de plein air, à la promenade en montagne ou à la campagne. Oxygénez-vous bien.

Deuxième trimestre

Au cours de ce trimestre, vous allez ressentir un accroissement de votre émotivité et vous aurez alors tendance à être tributaire des influences extérieures. Aussi, Sagittaire avez-vous intérêt à agir avec la plus grande franchise par rapport à vous-même et à ne pas vous laisser envahir par un entourage parfois intéressé.
L'ambiance planétaire vous donnera l'énergie nécessaire pour mener à bien tout ce qui peut faire progresser votre situation. Mais vous devez rester discret sous peine de vous faire souffler quelques idées. Gardez surtout le sens des réalités et faites sérieusement le point de temps à autre; cela vous évitera de vous faire dépasser par des gens mieux organisés.
Tachez de structurer vos divers projets dans le sens de la durée et de leur donner forme sans attendre et sans perdre de temps.
Les dates importantes de ce trimestre sur le plan personnel et professionnel seront le 14 Avril, les 3, 15 et 31 Mai, les 7 et 29 Juin.

Sentiments: vous ne savez pas décider. On attend de vous que vous vous engagiez, personne ne le fera pour vous. Vous ne pouvez souhaiter aboutir sans y mettre du vôtre. Votre couple connaît des hauts et des bas. Envisagez d'innover dans vos rapports amoureux.

Profession: le travail sera bien influencé dans l'ensemble et des projets anciens pourront prendre forme du jour au lendemain. Vous saurez vous concilier les bonnes volontés et ne fuirez pas vos responsabilités. Cela vous permettra de faire régner la concorde dans votre environnement professionnel et éventuellement de rétablir une situation compromise.

Santé: vous êtes sujet aux troubles du sommeil qui peuvent devenir chroniques. Vous présentez également un terrain favorable aux problèmes dermatologiques d'origine somatique, eczéma, herpès... et aux allergies. Veillez à ralentir votre rythme de vie et à fuir les occasions de stress.

Troisième trimestre

Au cours de ce troisième trimestre, vous aurez la tête pleine de projets et vous vivrez dans un harmonieux mélange de créativité et de rigueur que votre entourage vous enviera. Profitez-en pour remettre en question de manière calme, raisonnée et constructive votre façon de vivre, votre travail et votre vie affective.
Vous vous montrerez beaucoup plus sûr de vous et beaucoup plus efficace face à des situations délicates. Les relations humaines et les liens d'amitié seront importants. Ils vous feront beaucoup bouger et sortir de votre contexte habituel. Vous aurez probablement l'occasion de faire une rencontre nouvelle qui se consolidera rapidement et ouvrira la voie à des développements heureux.
Ne négligez pas les loisirs, ceux-ci sont indispensables à votre bon équilibre. Si ce n'est qu'une question de temps, organisez-vous bien et vous le trouverez. Des changements dans la vie professionnelle sont à envisager.

Sur le plan personnel et professionnel, les dates importantes de ce trimestre seront les 1er, 8, 19 et 23 Août, les 7, 9, 18 et 29 Septembre.

Sentiments: les astres ne peuvent pas vous garantir un bonheur absolu et sans nuages, mais si vous voulez réellement y mettre un peu du vôtre, vous pouvez espérer passer un excellent trimestre sur bien des plans et en particulier en ce qui concerne votre vie affective. Tout dépendra en grande partie de votre humeur personnelle et de la manière dont vous traiterez votre entourage, et l'être aimé en particulier, car celui-ci est disposé à vous écouter, débordant d'admiration pour vous.

Profession: les bons influx vous aideront à vous attaquer de front aux problèmes qui pourraient freiner vos progrès dans le domaine professionnel. Dans l'ensemble, vous saurez faire preuve d'ambition et de volonté, vous saurez également prendre des décisions judicieuses et rapides, et l'action découlera naturellement de la réflexion.

Santé: vous aurez ce trimestre une vitalité privilégiée et même une psychologie plus optimiste et osée que celle qui marque votre signe inquiet. Vous êtes cependant prédisposé aux attaques virales et microbiennes, que vous pourriez prévenir par des oligoéléments ou une cure de magnésium homéopathique.

Quatrième trimestre

Ce trimestre sera un des plus favorables de votre année, en particulier au mois de Décembre. Sur le plan des amours, votre charme est opérant et vous n'aurez pas beaucoup de difficulté pour mener des opérations nouvelles. D'ailleurs les astres provoqueront une frénésie amoureuse et les hommes du signe entreprendront des conquêtes à la hussarde, dont beaucoup seront couronnées de succès. Les femmes, elles, deviendront beaucoup plus provocantes et n'hésiteront pas à jouer de tous leurs atouts pour convaincre les hésitants.

Sachez toutefois contrôler vos élans parfois trop passionnés et qui risqueraient de vous faire commettre des erreurs de jugement. Les discussions avec le conjoint seront constructives, n'hésitez pas à aborder des problèmes délicats.
Sur le plan professionnel, des projets se réaliseront et des opportunités d'emploi se présenteront pour le Sagittaire à la recherche d'un travail.
Les dates importantes sont les 1er et 7 Octobre, les 6 et 7 Novembre, ainsi que les 5, 23 et 25 Décembre.

Sentiments: vous aurez de bons atouts en main et saurez les jouer aux bons moments. Vous serez donc serein et vous éprouverez des sentiments bien agréables. Vous savez profiter tout simplement de la vie, vous êtes bien dans votre peau et prêt à conquérir le monde.

Profession: dans le travail, il y aura quelques hostilités et des jalousies dans l'ombre. Vous devez en tenir compte plutôt que de vous réfugier dans une vision peu réaliste des choses. Ne sous-estimez pas ceux qui ne vous veulent pas que du bien, prenez les mesures qui vous protégeront ou qui vous mettront hors d'atteinte des attaques perfides.

Santé: attention à l'irritation des intestins avec à la clé constipations et diarrhées. Supprimez les aliments à fibres: légumes et fruits crus, fruits secs, riz complet…

Le destin des bébés nés en 2001

L'importance accordée à l'an 2001 par les parents et les proches sera l'un des éléments déterminants des traits de caractère des bébés nés cette année.

***Verseau* (20 Janvier – 18 Février)**

Son tempérament sera celui d'un enfant passionné avec une attirance pour tout ce qui traite de l'aventure. Il débordera d'activités et d'idées mais, de temps en temps, il se montrera trop idéaliste au cours de la première partie de sa vie. La maturité aidant, il deviendra plus tolérant et, surtout, il acceptera davantage la différence avec ceux qui l'entourent.
Cherchant à donner le meilleur de lui-même avec générosité, il saura mettre ses qualités en pratique dans certaines occasions et cela avec panache. Toutefois, il devra prendre garde à ne pas se présenter sous un aspect coléreux, ce qui pourrait réellement surprendre ses proches et entraîner quelques problèmes dans le cadre des relations familiales. A côté de cela, son tempérament généreux l'aidera à connaître une destinée remplie de périodes que l'on pourrait qualifier d'heureuses.

Son intelligence sera marquée par un désir de comprendre, par une volonté d'aller au fond des choses et de résoudre les problèmes. Cette intelligence brillante, claire, extrêmement précise, l'incitera à se tourner vers les activités à caractère scientifique. Il prendra les choses très à cœur.

Sa vie affective créera quelques surprises en s'éloignant des sentiers battus, mais sera protégée par les astres. Cela lui permettra de connaître une union heureuse et épanouissante de façon intense mais non spectaculaire. Pour ce qui est de ses relations amicales, il préférera se concentrer sur un petit nombre d'amis plutôt que diversifier de manière exagérée ses amitiés.

***Poissons* (19 Février – 20 Mars)**

Son tempérament sera celui d'un enfant qui aura du caractère, et se montrera ambitieux et tenace. Dans de nombreuses circonstances, il cherchera à se mettre en avant. Sa difficulté à se laisser commander pourrait entraîner quelques heurts avec son entourage pendant son adolescence. De nature relativement ambitieuse, il essaiera de se surpasser vers la trentaine et connaîtra des succès. Dur avec lui-même et dur avec les autres, le natif du signe, dans la deuxième partie de sa vie, fera preuve de convivialité et sera davantage intégré à la société. A certains, il pourra paraître renfermé.

Son intelligence sera solide avec un don prononcé pour les langues étrangères. D'un esprit vif, il se montrera apte à saisir le présent avec la particularité de raisonner le plus souvent sur fond de générosité. Dans sa vie professionnelle, l'humour l'aidera à prendre du recul, Uranus dans le signe lui permettra d'apprécier les voyages de manière très utile.

Sa vie affective, originale au début de sa vie, sera basée sur le charme et la chance. Il pourrait trouver l'âme sœur, très jeune, et les conseils lui seront utiles. Vivre à ses côtés ne sera pas de tout repos. Aux yeux de son entourage, son conjoint sera inattendu. Il se montrera fidèle en amitié.

***Bélier* (21 Mars – 20 Avril)**

Son tempérament sera marqué par une grande indépendance. Il sera sociable et d'humeur toujours égale. Certaines étapes de sa vie lui donneront l'occasion d'affirmer son caractère. Il ressentira très jeune le besoin de diriger et de prendre des responsabilités. Le natif du signe pourrait se montrer belliqueux dans son enfance, mais cette tendance remarquée avec inquiétude par son entourage devrait se dissiper par la suite. Adulte, ceux qui l'apprécient auront l'impression qu'il est écartelé entre deux types de pensée, mais, avec le temps, il saura bien souvent trouver le juste milieu.

Son intelligence sera dominée par des qualités de synthèse associées à une certaine intuition. Plusieurs de ses proches lui recommanderont – à juste titre – de ne pas toujours se fier à son intuition. Les métiers liés au monde judiciaire ne seront pas pour lui déplaire. Il sera doté d'une très bonne mémoire.

Sa vie affective sera marquée par des soubresauts, il pourrait connaître quelques déceptions de jeunesse qui l'inciteront à vouloir davantage dissimuler ses sentiments. Partager sa vie avec une personne étrangère à lui sera envisageable: cette opportunité pourrait se présenter vers la trentaine. Il préférera des amis plus âgés que lui.

***Taureau* (21 Avril – 20 Mai)**

Son tempérament sera celui d'une personne sérieuse et réfléchie, détenant une grande capacité de concentration et une curiosité pour tout ce qui touche au monde de l'irrationnel. Solitaire à ses heures, il fera preuve de sagesse dans la gestion de son temps. D'une nature orgueilleuse, comme plusieurs natifs du signe, il aura de grandes ambitions. Sa puissance de travail sera un atout non négligeable pour les mener à bien. Très tôt, on remarquera chez le natif du signe une volonté d'indépendance à l'égard de l'autorité parentale, les heurts qui en découleront seront passagers. Réussir professionnellement fera partie de ses priorités et il y mettra toute la volonté pour y arriver.

Son intelligence se caractérisera par une ouverture d'esprit et beaucoup de curiosité. Il possédera de ce fait une culture générale qui lui permettra d'être à l'aise dans de nombreuses occasions. Ses capacités intellectuelles lui donneront des facilités pour les langues. Il y aura lieu de veiller à ce qu'il ne développe pas trop son esprit de répartie.

Sa vie affective sera dominée par ses qualités de cœur et son tact. Les natifs du signe auront une vie affective heureuse. Les astres devraient leur épargner de grandes épreuves. Il y aura bien quelques difficultés dans sa vie amoureuse mais il saura éviter à temps de s'engager dans des aventures trop tumultueuses. Son amitié sera recherchée.

Gémeaux **(21 Mai – 21 Juin)**

Son tempérament sera celui d'un séducteur, plein de charme. Il aura beaucoup d'enthousiasme pour ce qu'il entreprendra avec un désir de s'imposer mais avec tact. Son entourage prendra ombrage de l'esprit combatif qu'il manifestera au cours des premières années de sa vie d'adulte, il y aura même quelques heurts, mais avec le temps ses qualités de diplomate prendront le dessus. D'un esprit volontaire, il se montrera dans plusieurs occasions audacieux au risque d'effrayer ses proches. Pour le natif du deuxième décan du signe, des postes de hautes responsabilités pourraient lui être réservés.

Son intelligence l'aidera à réussir dans ses études secondaires mais il faudra éviter que le natif du signe, notamment celui du deuxième décan, ne s'enferme dans une relative timidité trop longtemps. Il sera attiré par des métiers originaux qui pourraient apparaître en décalage avec sa personnalité. Son mode de raisonnement variera suivant les périodes clés de sa vie.

Sa vie affective sera marquée par des rencontres heureuses et prometteuses à la fin de son adolescence mais il ne manifestera pas le désir de s'engager de façon prématurée. Même s'il connaît quelques peines de cœur, l'amitié devrait l'aider à surmonter les difficultés passagères. Un certain goût pour l'exotisme.

Cancer **(22 Juin – 22 Juillet)**

Son tempérament sera celui d'une personne satisfaite de la vie, consciente de ses qualités et possédant un sens de l'organisation assez surprenant. Cette dernière qualité se manifestera dès son plus jeune âge au risque d'agacer de temps en temps son entourage mais, compte tenu des effets secondaires, il lui sera souvent pardonné. Par tempérament également, il pourrait être attiré par des actions humanitaires, mais jamais il ne s'engagera à fond. Le natif du signe, en particulier en raison de la position des planètes au moment de sa naissance, avec la domiciliation dans Saturne et Jupiter, connaîtra une vie quelque peu agitée.

Son intelligence sera brillante, constructive, avec un sens de l'humour qui correspondra à sa vivacité intellectuelle. Mais le natif du signe devra être mis en garde pour ne pas en abuser car cela pourrait lui jouer des tours. Son imagination sera un atout important dans sa vie professionnelle.

Sa vie affective sera marquée par quelques étapes animées mais il connaîtra finalement, à la grande joie de ses proches, une période de grande stabilité. Ses amis seront de temps en temps l'objet d'attention de sa part et de façon inattendue.

Lion (23 Juillet – 22 Août)

Son tempérament sera celui d'une personne qui souhaite aller au fond des choses, mais ses proches devront veiller à ce qu'il regarde toujours la vie sous un angle positif. Ses relations avec autrui ne seront pas toujours faciles et une remise en cause à l'âge adulte n'est pas exclue. Il ne fera pas toujours preuve d'un sens politique, ce qui devrait à un moment l'handicaper dans sa vie professionnelle. La compagnie de personnes plus âgées étonnera parfois son entourage mais son avidité de tout connaître justifiera cette attitude. L'une des clés de son épanouissement sera justifiée par son souci de ne mener que des actions intéressantes à ses yeux. Son sens du devoir, son obstination, dans certains cas, se manifesteront de façon plus modérée après la trentaine.

Son intelligence sera imaginative et l'aidera à mener de bonnes études. Relativement bien disposé pour les langues, il acquerra, s'il le souhaite, une grande agilité intellectuelle. La lecture lui procurera de grandes satisfactions.

Sa vie affective sera animée, il devra prendre garde à ne pas s'engager trop tôt dans une liaison définitive. Ce conseil pourrait l'inciter à se marier plus tard que ses contemporains. Son sens de l'amitié sera sélectif.

Vierge (23 Août – 22 Septembre)

Son tempérament sera celui d'une personne très attachante et possédant de nombreuses qualités. Il sera beaucoup plus solide que d'autres natifs du signe, mais il ne recherchera pas tellement la compagnie.

Prendre des responsabilités fera partie de son tempérament mais, en aucune façon, il ne souhaitera se mettre en avant. Pour réellement l'aider, ses proches essaieront de lui faire comprendre qu'il est préférable de faire attention et de ne pas juger trop vite car il pourrait connaître des déceptions. Dans de nombreuses occasions, il cherchera à profiter le plus possible de la vie. Il fera preuve d'un grand sens moral, sérieusement ancré dans les valeurs traditionnelles.

Son intelligence sera celle d'un être accrocheur, souhaitant aller au fond des choses, doté d'une bonne mémoire et assimilant rapidement avec perspicacité tout ce qui est nouveau. Mais ses proches veilleront à ce qu'il ne s'appuie pas trop sur sa mémoire et s'efforce de raisonner.

Sa vie affective sera marquée par une certaine pudeur, spécialement au commencement de sa vie d'adulte. Il se montrera relativement rationnel dans le choix de ses relations amoureuses. Il lui sera déconseillé de trop jouer de son charme, et des proches se chargeront de le lui dire avec fermeté. Plusieurs de ses amis viendront d'horizons différents.

Balance (23 Septembre – 22 Octobre)

Son tempérament sera celui d'un être plutôt sûr de lui et conscient de ses possibilités. Dès sa jeune enfance, il souhaitera prendre des responsabilités et se prouver qu'il doit avoir confiance en lui. D'un tempérament audacieux, il ne résistera pas à l'idée de créer une association ou un mouvement. On remarquera également, chez le natif du signe, le souhait de démontrer à ceux qui l'entourent une grande force de caractère. Quitté l'adolescence, il fera preuve de maturité et surprendra son entourage par les décisions prises. Les voyages dans des contrées lointaines auront sa préférence, il envisagera sérieusement de s'installer dans une région nouvellement habitée ou même de s'exiler.

Son intelligence sera celle d'un individu qui cherche à aller au fond des choses, mais il aura son domaine réservé sans le montrer trop ouvertement. Avide de connaissances, il manifestera un certain don pour les mathématiques et la physique et pourrait trouver dans cette voie un débouché professionnel prometteur.

Sa vie affective fera place à l'imprévu avec une prépondérance pour le romantisme. Avoir avec son partenaire des activités communes sera l'un de ses souhaits lors de rencontres. A un âge un peu plus tardif que ses contemporains, il connaîtra une grande passion. Une fois l'adolescence passée, il manifestera un grand sens de l'amitié.

***Scorpion* (23 Octobre – 21 Novembre)**

Son tempérament sera celui d'une personne aventurière, dynamique, mais plus inquiète que ce qu'il n'y paraît. Il sera attiré par ce qui est occulte, étrange, mystérieux. Son entourage l'aidera à répondre à ses questions, mais il se trouvera parfois désorienté par son mode de raisonnement non dépourvu de logique. La solitude ne sera pas pour lui déplaire, même si le milieu familial aura chez lui une grande importance, car il ne souhaiterait pas s'en détacher. Faire partie d'une association sera dans son tempérament, éventuellement dans un parti politique, sans rechercher à chaque fois les premières places.

Son intelligence sera imaginative, vive: il possédera un esprit de répartie et un sens critique développés mais il devra bien faire attention à écouter. La période de son adolescence sera un cap difficile à passer. Ses études se dérouleront sans difficultés. Par contre, il éprouvera de la difficulté à accepter les sciences exactes.

Sa vie affective sera dominée par la passion amoureuse tout en restant attaché aux valeurs familiales et à ses traditions. Il saura, en plusieurs circonstances, s'interroger sur le bien-fondé de ses sentiments et connaîtra la stabilité plus tardivement que ses contemporains. Il pourrait connaître de légères déceptions en amitié.

***Sagittaire* (22 Novembre – 20 Décembre)**

Son tempérament sera posé et correspondant à celui d'une personne remplie de charme, très attentionnée et de grande générosité. On remarquera très vite chez lui le souci de s'occuper des autres et cela influencera sa vie professionnelle. Il recherchera une vie stable, bien organisée dominée par la bonne humeur et l'harmonie avec ceux qui l'entourent. Un rôle de médiateur pourrait très bien lui être proposé et cela dans les circonstances les plus diverses. Il saura s'intégrer avec beaucoup de facilité dans la vie en société, ce qui sera un atout au milieu de sa vie.

Son intelligence sera vive, éveillée. Doté d'une bonne mémoire, il pourrait être attiré par la recherche ou par les professions médicales ou paramédicales. Il sera tenté de poursuivre de longues études, mais des contraintes pourraient l'en empêcher.

Sa vie affective sera caractérisée par un souci d'être sécurisé. En raison de son caractère heureux il devrait rendre son partenaire épanoui.
Le natif du signe pourrait réaliser un mariage brillant et réussi, toutefois, il pourrait connaître une certaine instabilité passagère mais sans conséquences graves. Dans sa vie, ses amis auront une place discrète.

Capricorne (21 Décembre – 19 Janvier)

Son tempérament sera celui d'une personne attachante et possédant de nombreuses qualités. Personnalité ouverte et combative, il cherchera toutefois à résoudre les conflits, ce qui l'incitera à faire preuve d'une grande qualité d'écoute. Cette qualité, associée à un souhait de réaliser le bien autour de lui, devrait l'aider dans les postes de responsabilités qui lui seront confiés. Vers la trentaine, il sera amené à prendre des positions importantes. Il aura par ailleurs le sens du devoir: son esprit loyal dans la compétition s'accentuera avec l'âge. Sa bonne humeur sera très appréciée de son entourage.

Son intelligence sera pratique et devrait lui éviter en plusieurs occasions bien des soucis. Sa curiosité et son talent oratoire reconnu l'aideront à se sortir de difficultés. Certains faits de société l'inciteront à raisonner plus qu'il ne l'aurait souhaité.

Sa vie affective sera bien remplie. On lui reprochera ses amours passagères, mais sa gentillesse naturelle l'aidera dans de nombreuses occasions. Son amitié sera fidèle mais très sélective.

♐ Bon anniversaire Sagittaire

22	Novembre	Pas trop de bavardages.
23	Novembre	Il ne sert à rien de vous dépenser autant.
24	Novembre	Vous êtes récompensé de vos concessions.
25	Novembre	A vous de prendre le taureau par les cornes.
26	Novembre	Quel charme! N'en jouez pas trop.
27	Novembre	Essayez d'être moins fonceur.
28	Novembre	Vous devriez faire face à des situations plus originales.
29	Novembre	Seriez-vous inquiet?
30	Novembre	Les circonstances nécessitent une attitude plus responsable.
1er	Décembre	De bonnes rencontres dans un cadre étranger.
2	Décembre	Soyez moins dépensier.
3	Décembre	Cherchez à mieux connaître autrui.
4	Décembre	Il est préférable de vous montrer vigilant.
5	Décembre	La vie donne des leçons.
6	Décembre	Des perspectives de changement.
7	Décembre	Des rumeurs partiellement justifiées.
8	Décembre	La jalousie peut provoquer des dégâts.
9	Décembre	Seriez-vous en conflit avec vous-même?
10	Décembre	Il faut plus utiliser vos moments de détente.
11	Décembre	Plusieurs satisfactions en perspective.
12	Décembre	Vous rencontrerez des personnes très différentes.
13	Décembre	Attention aux repas trop lourds.
14	Décembre	Vous avez besoin de conseils extérieurs.
15	Décembre	Des facilités pour de petits profits.
16	Décembre	Elargissez votre champ d'activités.
17	Décembre	Vous ne devez vous en prendre qu'à vous.
18	Décembre	Accentuez vos contacts avec vos proches.
19	Décembre	Seriez-vous un peu coléreux?
20	Décembre	Affichez un minimum de disponibilité.

Table des matières

Introduction .... page 3

Les planètes .... » 5
Soleil, 6 – Lune, 9 – Mercure, 10 – Vénus, 12 – Mars, 13 – Jupiter, 15 – Saturne, 16 – Uranus, 18 – Neptune, 19 – Pluton, 20

Les maisons .... » 23

Les signes .... » 27

LE SAGITTAIRE .... » 29

Mythologie .... » 33

Les planètes dans le Sagittaire .... » 35
Soleil dans le Sagittaire, 35 – Lune dans le Sagittaire, 35 – Mercure dans le Sagittaire, 36 – Vénus dans le Sagittaire, 36 – Mars dans le Sagittaire, 37 – Jupiter dans le Sagittaire, 37 – Saturne dans le Sagittaire, 38 – Uranus dans le Sagittaire, 39 – Neptune dans le Sagittaire, 39 – Pluton dans le Sagittaire, 39

Le Sagittaire dans les maisons .... » 40
Le Sagittaire en maison I ou Soleil en Sagittaire, 40 – Le Sagittaire en maison II, 41 – Le Sagittaire en maison III, 41 – Le Sagittaire en maison IV, 41 – Le Sagittaire en maison V, 41 – Le Sagittaire en maison VI, 41 – Le Sagittaire en maison VII, 42 – Le Sagittaire en maison VIII, 42 – Le Sagittaire en maison IX, 42 – Le Sagittaire en maison X, 42 – Le Sagittaire en maison XI, 43 – Le Sagittaire en maison XII, 43

L'ascendant .... » 44
Sagittaire/Bélier, 46 – Sagittaire/Taureau, 47 – Sagittaire/Gémeaux, 47 – Sagittaire/Cancer, 48 – Sagittaire/Lion, 48 – Sagittaire/Vierge, 49 – Sagittaire/Balance, 49 – Sagittaire/ Scorpion, 50 – Sagittaire/ Sagittaire, 51 – Sagittaire/Capricorne, 51 – Sagittaire/Verseau, 51 – Sagittaire/Poissons, 52

Psychologie du Sagittaire .... page 53

La santé du Sagittaire .... » 56

La profession du Sagittaire .... » 57

L'homme Sagittaire .... » 59

La femme Sagittaire .... » 62

Les enfants Sagittaire .... » 65

L'amour et le Sagittaire .... » 66

Femme Sagittaire/Homme Bélier, 66 – Homme Sagittaire/Femme Bélier, 67– Femme Sagittaire/Homme Taureau, 68 – Homme Sagittaire/Femme Taureau, 68 – Femme Sagittaire/Homme Gémeaux, 69 – Homme Sagittaire/Femme Gémeaux, 70 – Femme Sagittaire/Homme Cancer, 71 – Homme Sagittaire/Femme Cancer, 71 – Femme Sagittaire/Homme Lion, 72 – Homme Sagittaire/Femme Lion, 73 – Femme Sagittaire/Homme Vierge, 73 – Homme Sagittaire/Femme Vierge, 74 – Femme Sagittaire/Homme Balance, 75 – Homme Sagittaire/Femme Balance, 75 – Femme Sagittaire/Homme Scorpion, 76— Homme Sagittaire/Femme Scorpion, 77 – Femme Sagittaire/Homme Sagittaire, 78 – Femme Sagittaire/Homme Capricorne, 78 – Homme Sagittaire/Femme Capricorne, 79 – Femme Sagittaire/Homme Verseau, 80 – Homme Sagittaire/Femme Verseau, 80 – Femme Sagittaire/ Homme Poissons, 81 – Homme Sagittaire /Femme Poissons, 82

Personnages célèbres natifs du Sagittaire .... » 84

La décoration et le Sagittaire .... » 87

Divers .... » 88

PREVISIONS .... » 89

La position des planètes en 2001 .... » 91

Perspectives mondiales .... » 94

Climat politique en 2001 pour quelques pays .... » 97

Allemagne, 97 – Belgique, 97 – Cameroun, 97 – Canada, 97 – Centrafrique, 98 – Congo, 98 – Côte d'Ivoire, 98 – France, 98 – Gabon, 99 – Grande-Bretagne, 99 – Grèce, 99 – Italie, 99 – Luxembourg, 100 – Portugal, 100 – Russie, 100 – Sénégal, 100 – Suisse, 100 – Togo, 101 – Turquie, 101 – Départements et territoires d'outre-mer: Antilles, 101 – La Réunion, 101 – Nouvelle-Calédonie, 101 – Polynésie, 101

Les phases de la Lune en 2001 .... page 102

La chance et le Sagittaire en 2001 .... » 103

Les amours du Sagittaire en 2001 .... » 104

La santé du Sagittaire en 2001 .... » 106

Le métier et les finances du Sagittaire en 2001 .... » 108

Les prévisions trimestrielles du Sagittaire en 2001 .... » 109

Le destin des bébés nés en 2001 .... » 114
Verseau, 114 – Poissons, 115 – Bélier, 115 – Taureau, 116 – Gémeaux, 117 – Cancer, 117 – Lion, 118 – Vierge, 118 – Balance, 119 – Scorpion, 120 – Sagittaire, 120 – Capricorne, 121

Bon anniversaire Sagittaire .... » 122

Achevé d'imprimer en juillet 2000
à Milan, Italie,
sur les presses de Lito 3 Arti Grafiche s.r.l.

Dépôt légal : juillet 2000
Numéro d'éditeur : 6488